公害防止管理者等国家試験

公害総論

# 重要ポイント&精選問題集

## 改訂第3版

産業環境管理協会 編著

一般社団法人 産業環境管理協会

# はじめに

　本書は、公害防止管理者等国家試験を受験する方を対象に、大気関係、水質関係、騒音・振動関係、ダイオキシン類関係すべての共通科目である「公害総論」について、試験の重要ポイントを理解していただくことを目的としています。

　公害防止管理者等国家試験は、「公害防止管理者等資格認定講習用」に使用されているテキスト『新・公害防止の技術と法規』（発行・産業環境管理協会）からの出題がほとんどですが、当テキストは非常にページ数が多く、記述内容も幅広いため、学習のポイントがつかめないという難点があることは否めません。また、記述されている内容と実際の試験問題がどのようにかかわり合っているかを読み解くにはかなりの労力と時間が必要になると思われます。

　そこで本書は、各試験科目の出題されるポイントを厳選し、それに関連する過去問を解くことで国家試験対策に必要な知識を身につけられるように構成されています。

　『新・公害防止の技術と法規』を読み込むのに時間的余裕がない場合、受験対策に必要なポイントをまず知りたい場合など、なるべく労力と時間をかけずに受験対策を行いたい方を対象としています。

　本書が、公害防止管理者等国家試験の受験を目指している方々の必携書になれば幸甚です。

2024年8月
一般社団法人 産業環境管理協会

 **本書の読み方**

## 各節の構成　各章はいくつかの節に分かれています。各節には次のような要素があります。

---

**第5章　最近の環境問題**

### 5-3　水質・土壌環境問題

大気汚染物質と同じく環境基準の設定されている物質の達成状況がよく出題されます。水質に係る環境基準(地下水を含む)の達成状況をよく理解しておきましょう。

**❶** よく出る!

**■ 水質汚濁の現状**

**●水質汚濁に係る環境基準:健康項目**

2014(平成26)年度の全国公共用水域水質測定結果によると、水質汚濁に係る環境基準のうち、カドミウムなど人の健康の保護に関する環境基準(一般に「健康項目」という)(27物質)の達成率は表1に示すように**99.1%**(前年度99.2%)で前年度とほぼ同じで、ほとんどの地点で環境基準が達成されています。

公共用水域で達成率の一番悪いのはふっ素で、次いでひ素となっています。2013(平成25)年度までの調査では達成率の一番悪いのはひ素で、平成26年度は順位が入れ替わりました。

平成26年度はこのほかに、**カドミウム、鉛、1,2-ジクロロエタン、硝酸性窒素及び亜硝酸性窒素、ほう素**について環境基準を超過した地点がありました。

**●水質汚濁に係る環境基準:生活環境項目**

水質汚濁に係る環境基準のうち、生活環境の保全に関する環境基準(一般に「**生活環境項目**」という)では、BOD又はCODの環境基準の達成率をみると、測定地点全体では2013(平成25)年度は87.3%でしたが、2014(平成26)年度は89.1%で少し改善傾向にあります。

図1にBOD又はCODの環境基準の達成率の推移を示します。水域別でみると
①河川93.9%(前年度92.0%)

（左欄外注）
❤:健康項目
「水質汚濁に係る環境基準について」(1971〈昭和46年12月28日環境庁告示第59号〉)の別1の別1の表2で規定されている。「人の健康の保護に関する環境基準」とされる27物質で、一般に「健康項目」と呼ぶ。

❤:生活環境項目
上記告示の別1の表2の2で規定され、「生活環境の保全に関する環境基準」としての域値等ごとに基準が定められている。この項目のことを一般に「生活環境項目」と呼ぶ。

❤:BOD、COD
河川についてはBODが、湖沼や海についてはCODが測定されている。

---

**第4章　公害防止管理者法**

**❸** 練習問題　　　平成25・問4

問4　特定工場における公害防止組織の整備に関する法律に関する記述として、誤っているものはどれか。

(1)　特定工場を設置している特定事業者は、公害防止に関する業務を統括管理する公害防止統括者を選任しなければならない。ただし、常時使用する従業員の数が20人以下である特定事業者は、公害防止統括者を選任する必要はない。

(2)　公害防止主任管理者を選任しなければならない特定工場は、ばい煙発生施設及び汚水等排出施設が設置されている工場で排出ガス量が1時間当たり4万立方メートル以上であり、かつ、排出水量が1日当たり1万立方メートル以上である。ただし、当該工場においては標準ガス汚水及び廃液の処理を確実に行うことができるものとして主務省令で定める要件に該当する場合は除かれている。

(3)　特定事業者は、公害防止統括者、公害防止管理者又は公害防止主任管理者の旅行、疾病その他の事故によってその職務を行うことができないときその職務を行う代理者を選任しなければならない。

(4)　特定の特定事業者について相続又は合併があったときは、相続人又は合併後存続する法人若しくは合併により設立した法人が、届出をした特定事業者の地位を承継する。その地位を承継した者は、遅滞なく、その事実を証明する書面を添えて、その旨を当該特定工場の所在地を所管する都道府県知事に届け出なければならない。

(5)　公害防止統括者、公害防止管理者及び公害防止主任管理者並びにこれらの代理者は、都道府県知事の解任命令により解任されたときは、その解任の日から3年を経過しない者は、公害防止統括者、公害防止管理者及び公害防止主任管理者並びにこれらの代理者になることができない。

**| 解 説 |**

法第10条で、都道府県知事は公害防止統括者、公害防止主任管理者、公害防止管理者及びそれぞれの代理者について、法違反があった場合や命令違反があった場合には、特定事業者に公害防止管理者等の「解任」を命ずることができるとあります公害防止管理者、公害防止主任管理者の資格は取り上げられません。

そして、法第7条第2項で、「第10条の規定による命令により解任され、その解任

---

**第5章　最近の環境問題**

は排出抑制基準が定められています。

2018(平成30)年度の大気中濃度の測定結果によると、指定物質のベンゼン、トリクロロエチレン、テトラクロロエチレンの物質とジクロロメタンのいずれも**すべての地点で環境基準を達成しています**。4物質のうち、ベンゼンは年度によりときどき環境基準未達成の測定地点があるので注意して記憶してください。

**❹** ⚙ ポイント

①各大気汚染物質の一般局と自排局での環境基準の達成率について毎年のように出題されている。
②環境基準の達成率は、3年度分のデータが出題されているので、その値を覚えておく(たとえば、平成30年度の試験対策としては平成27年度のデータを押さえておく)。
③全体の傾向として、大気環境の環境濃度は改善傾向が継続し、大部分の測定局で環境基準を達成している。ただし、光化学オキシダントの達成率は1%以下が継続している。

**❺** ✏ 暗記

大気汚染物質の環境基準の達成率を覚える。

| 項目 | 一般局 | 自排局 |
|---|---|---|
| 二酸化硫黄 | 99.9% | 100% |
| 一酸化炭素 | 100% | 100% |
| 二酸化窒素 | 100% | 99.7% |
| 浮遊粒子状物質 | 99.8% | 100% |
| 微小粒子状物質 | 93.5% | 93.1% |
| 光化学オキシダント | 0.1% | 0% |

注意:上記は平成30年度のデータ。試験対策に当たっては当該年度のデータを覚えておく。

---

**❶** よく出る!

よく出題される項目です。確実に点数を重ねるためには、出題頻度が高い項目を重点的に学習しましょう。

**❷ 太い文字**

重要な語句は太字になっています。

**❸ 練習問題**

実際に出題された過去問で知識のチェックを行います。右上に出題年度と問番号が記されています。

**❹** ⚙ ポイント

押さえておきたい重点ポイントです。受験にあたって、どこを中心に覚えておけばよいかを示しています。

 暗記

暗記していないと解けない問題もよく出題されます。この表示がある箇所は暗記すべき内容です。

## ▶ 公害防止管理者の試験について

　公害発生施設には有資格者である公害防止管理者の選任が義務づけられています。この資格は年1回(10月の第一日曜日)全国で行われる国家試験に合格することで得られます※。また合格率はおおむね20%前後で、難易度の高い国家試験といえます。

※書類審査を経て規定の講習を受講し、かつ、修了試験に合格することで、国家試験に合格した場合と同等の資格が付与される制度もあります。

国家試験の詳細：https://www.jemai.or.jp/polconman/examination/index.html


## ▶ 試験科目・問題数・試験時間・合格基準

　公害総論は、大気関係、水質関係、騒音・振動関係、ダイオキシン類関係すべてに共通する試験科目です。公害問題に関する全般的な内容であり、幅広い知識が問われます。

　1問につき約3分の試験時間が割り当てられ、合格基準は60%以上とされています。

| 試験科目 | 問題数 | 試験時間 | 合格基準 |
| --- | --- | --- | --- |
| 公害総論 | 15問 | 50分 | 60%以上 |

※合格基準は年度によって変動することがあります。


## ▶ 学習のための関連資料

- ●「新・公害防止の技術と法規」(毎年1月発行／産業環境管理協会)
  公害防止管理者等資格認定講習用テキスト
- ●「正解とヒント」(毎年4月発行／産業環境管理協会)
  過去5年分の国家試験の正解と解答のポイントを解説
- ●「環境・循環型社会・生物多様性白書」(毎年発行／環境省)
  環境省が発行する白書で最新の情報を確認。インターネットで公開されている。
- ●国家試験　問題と正解(解説はありません)
  過去の問題と正解がインターネットで公開されている。
  https://www.jemai.or.jp/polconman/examination/past.html

# 目 次

## 公害総論

# 公害総論

「公害総論」という科目は、すべての公害防止管理者等の試験区分に共通する科目です。したがって、試験範囲は環境問題全般や公害防止管理者制度が中心になります。環境基本法を頂点とした日本の環境関連法や環境問題の現状、公害防止管理者の役割などについて学びます。

## 📑 出題分析と学習方法

まずはどこにポイントを置いて学習すればよいかを理解しておきましょう。広い試験範囲のなかで、合格ラインといわれる60%の正答率を得るためには、出題傾向に応じた学習方法が重要になります。

### ▶ 出題数と内訳

公害総論の出題数は全15問で、過去5年分の内訳は下表のとおりです。

| 試験科目の範囲 | 出題数 | | | | |
|---|---|---|---|---|---|
| | 令和元年 | 令和2年 | 令和3年 | 令和4年 | 令和5年 |
| 環境基本法及び環境関連法規の概要 | 4 | 4 | 4 | 4 | 4 |
| 公害防止管理者法<br>(特定工場における公害防止組織の整備に関する法律) | 1 | 1 | 1 | 1 | 1 |
| 環境問題全般 | 9 | 9 | 9 | 9 | 9 |
| 環境管理手法 | 1 | 1 | 1 | 1 | 1 |
| 国際環境協力 | 0 | 0 | 0 | 0 | 0 |
| 出題数計 | 15 | | | | |

### ▶ 合格のための学習ポイント

● **環境基本法**については、法律の条文がそのまま出題されます。条文の語句の誤りを見つける形式、穴埋め形式など、条文を正確に丸暗記していないと正解できない問題が出題されます。第3章でよく出題される条文を掲載していますので、しっかりと覚えておきましょう。**環境関連法規**は範囲が広いので、太字のキーワードを中心に学習しましょう（第2章）。

● **公害防止管理者法**については、公害防止管理者等の選任・届出などについて問われます。環境基本法のように条文がそのまま出題されることは少ないですが、その分正解しやすい問題が多いので、よく出る箇所を押さえておきましょう（第4章）。

● **環境問題全般**については、もっとも出題数が多い分野です。ただし範囲が広いので、出題頻度の高い環境基準の達成状況やオゾン層破壊、地球温暖化問題を中心にポイントを絞って学習しましょう（第5章）。

● **環境管理手法**については、LCAの手法や環境ラベル、環境マネジメントシステムの用語の意味を押さえておきましょう（第6章）。

## 第 1 章

# 環境問題の概要

## 1-1　公害問題から環境問題へ

環境問題が初期の「公害問題」から「地球環境問題」「化学物質管理の問題」「循環型社会形成対応」に変化し、問題解決の手法も「規制」から「自主管理の推進」に変わったことを理解しておきましょう。

### 1 四大公害病と典型七公害

第二次世界大戦後、日本は目覚ましい経済復興を遂げました。それまでにも足尾銅山の事例※のように産業活動に伴う健康被害や環境汚染は起きていましたが、特異な事例とみられ全国的な対策はとられていませんでした。しかしながら、1950年代半ばから始まる高度経済成長の時代は、自然の浄化能力をはるかに超える有害物質が環境に放出され、大規模な工場が集中す

※：足尾銅山の事例
明治時代に起こった栃木県足尾銅山での公害事件。当時日本最大の銅山であった足尾銅山だが、渡良瀬川の洪水とあいまって精錬所（1970年に廃鉱）から鉱滓が流れ出し下流の農地を汚染した。

図1　高度成長期における日本の公害・環境問題の発生

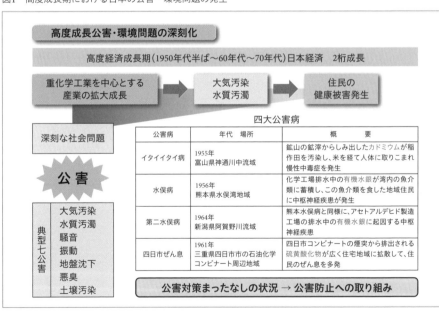

る臨海工業地帯を中心に各地で大気汚染や水質汚濁による大きな健康被害や環境汚染が発生し、**四大公害病**に代表される公害問題として深刻な社会問題となりました。中でも**典型七公害**と呼ばれる問題については優先的に立法措置と対策が進められました。図1に公害問題の概要を示します。

## 2 公害対策基本法から環境基本法へ

　これら公害問題を解決するため、**公害対策基本法**が制定され、1970（昭和45）年のいわゆる公害国会で14の公害関係の規制法※が一挙に成立し、翌年にはこれらの環境規制法を所管し環境対策を進める専門の国家機関として「環境庁」が設立されました。また、一定の設備を有する企業に対しては国家資格の**公害防止管理者**を選任することが義務付けられました。

　1970年代に企業は、国の支援政策を受けて、公害防止対策に10兆円を超える多額の資金を投じて環境対策を実施し、

※：14の公害関係の規制法
公害国会で可決された法律案は、「水質汚濁防止法案」や「大気汚染防止法の一部を改正する法律案」「騒音規制法の一部を改正する法律案」など14の法律案である。

図2　日本の公害・環境問題の解決への取組み

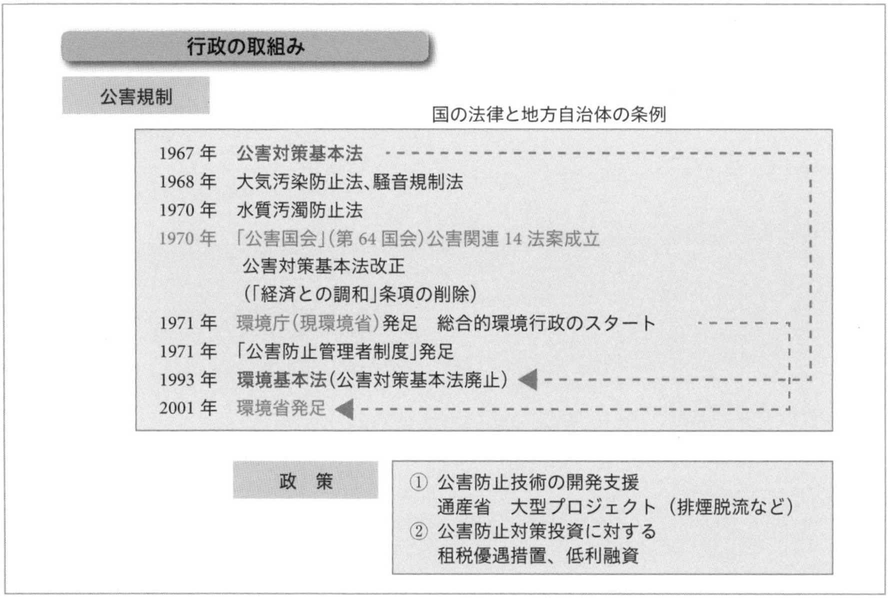

```
┌──────────────────────────────────────────────────────────┐
│  ┌─────────────────────┐                                  │
│  │   行政の取組み       │                                  │
│  └─────────────────────┘                                  │
│  ┌──────────┐                                             │
│  │ 公害規制 │        国の法律と地方自治体の条例             │
│  └──────────┘                                             │
│  ┌────────────────────────────────────────────────────┐  │
│  │ 1967 年  公害対策基本法 ┄┄┄┄┄┄┄┄┄┄┄┄┄┄┐ │  │
│  │ 1968 年  大気汚染防止法、騒音規制法                │ │  │
│  │ 1970 年  水質汚濁防止法                           │ │  │
│  │ 1970 年  「公害国会」(第 64 国会)公害関連 14 法案成立│ │  │
│  │          公害対策基本法改正                        │ │  │
│  │          (「経済との調和」条項の削除)              │ │  │
│  │ 1971 年  環境庁(現環境省)発足　総合的環境行政のスタート │ │  │
│  │ 1971 年  「公害防止管理者制度」発足                │ │  │
│  │ 1993 年  環境基本法(公害対策基本法廃止) ◀┄┄┄┘ │  │
│  │ 2001 年  環境省発足 ◀┄┄┄┄┄┄┄┄┄┄┄┄┄┄┄┄┄┘  │
│  └────────────────────────────────────────────────────┘  │
│                  ┌──────────┐ ① 公害防止技術の開発支援      │
│                  │  政　策  │   通産省　大型プロジェクト(排煙脱流など) │
│                  └──────────┘ ② 公害防止対策投資に対する    │
│                                  租税優遇措置、低利融資        │
└──────────────────────────────────────────────────────────┘
```

1980年代には大気及び水質とも「もはや公害は克服された」といわれるまでに大幅に改善しました。

1993（平成5）年には公害対策基本法が廃止され、新たに**環境基本法**が制定されて被害の未然予防の観点からの環境問題の取組みが始まりました。そして、2001（平成13）年には環境庁が環境省に格上げされ、環境対策に対する権限が強化されました。図2に主な公害規制の取組みを示します。

> ✅ **ポイント**
> ①典型七公害とは、大気汚染、水質汚濁、騒音、振動、地盤沈下、悪臭、土壌汚染の7つを指す。
> ②四大公害病の名称と原因物質の組合せを覚えておく。つまり、イタイイタイ病－カドミウム、水俣病－有機水銀、第二水俣病－有機水銀、四日市ぜん息－硫黄酸化物の組合せを記憶しておく。

# 練習問題

問6　我が国における環境問題と主要な原因物質の組合せとして，正しいものはどれか。

|　|（環境問題）|（原因物質）|
|---|---|---|
|(1)|四日市ぜん息|一酸化炭素|
|(2)|水俣病|六価クロム|
|(3)|イタイイタイ病|ひ素|
|(4)|富栄養化|窒素，りん|
|(5)|酸性雨|二酸化炭素|

| 解　説 |

　富栄養化とは、元来、湖沼や内湾の水中の窒素やりん等の栄養塩が多い状態に遷移することをいいます。(4)の「富栄養化」と「窒素、りん」が正しい組合せです。酸性雨の主な原因物質は、硫黄酸化物（$SO_x$）や窒素酸化物（$NO_x$）です。

正解 ≫ （4）

# 練習問題

問6　環境問題とその主な原因となった物質の組合せとして，誤っているものはどれか。

|     | （環境問題） | （主な原因となった物質） |
| --- | --- | --- |
| (1) | 水俣病 | 有機水銀 |
| (2) | 富栄養化 | りん及び窒素の化合物 |
| (3) | 光化学大気汚染 | オゾン |
| (4) | 地下水汚染 | トリクロロエチレン |
| (5) | 四日市ぜん息 | 窒素酸化物 |

**解　説**

　三重県四日市市地区でコンビナートの操業が本格化する昭和 35 年ごろから強いぜん息発作をもつ患者がみられるようになり二酸化硫黄（$SO_2$）との関係が問題となりました。原因は、硫黄酸化物を主にして、これとばいじんなどとの相乗効果をもつ大気汚染でした。よって、(5)の窒素酸化物は誤りです。

正解 >> （5）

# 練習問題

問6　公害・環境問題とその原因物質との組合せとして，誤っているものはどれか。

|  | （公害・環境問題） | （原因物質） |
|---|---|---|
| (1) | 酸性雨 | 窒素酸化物 |
| (2) | 地下水汚染 | トリクロロエチレン |
| (3) | 四日市ぜん息 | 硫黄酸化物 |
| (4) | イタイイタイ病 | ひ素化合物 |
| (5) | 海洋汚染 | マイクロプラスチック |

**| 解　説 ▶**

　イタイイタイ病とは富山県の神通川流域で発生した腎臓障害を伴う骨軟化症が主症状で、上流の鉱山からの排水に含まれるカドミウムに汚染された飲料水や米を長年摂取して、体内に蓄積したことによる慢性中毒症と考えられている。よって、原因物質がひ素化合物は誤りである。

　したがって、(4)の組合せが誤りです。

正解 >> （4）

### ❸ 多様化する環境問題

　図3は、環境問題の多様化の歴史と解決のための対策方法の変化を図示したものです。

　高度成長期における大量生産に伴う公害問題はその影響が及ぶ範囲が限定的であり、排出規制の強化による対策が有効に機能しました。その後の大量消費に伴う自動車排ガスや廃棄物処理に伴って顕在化した都市型環境問題についても、車の排ガス規制と廃棄物処理法に基づく規制強化でほぼ解決されました。

　これらの問題が解決されたあと、単なる規制強化では解決できない3つの大きな環境問題が顕在化してきました。

#### ◉地球環境問題

　まず初めに顕在化したのは**地球環境問題**※と呼ばれる問題で、これらの問題は一国だけで対策を行っても解決できない問

図3　環境問題の多様化の歴史と対策方法の変化

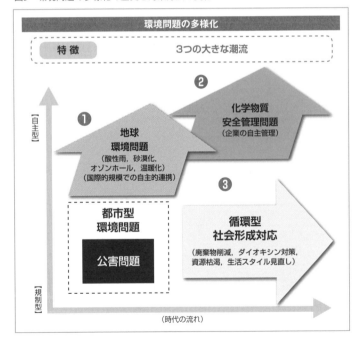

題であり地球的規模での取組みが必要で、各国、各企業の自主
的取組みが求められている問題です。

### ●化学物質の安全問題

　次に顕在化してきたのは身の回りで微量ではあるが存在する
ことが分かってきた**化学物質の安全管理**<sup>※</sup>**の問題**です。分析技
術の進歩により、百万分の一(ppm)や十億分の一(ppt)の濃度
で分析できるようになると、私たちの身の回りには様々な化学
物質が存在していることが明らかになり、健康被害や動植物の
被害は起きていなくても、「**被害の未然防止**」の観点から対策が
求められている問題です。化学物質の数が膨大であり、またあ
まりにも微量で排出規制では対応できないため、企業の自主的
取組みによる排出抑制対策に解決の成否がかかっています。

### ●循環型社会形成

　最後は**循環型社会形成対応の問題**で、**天然資源の枯渇、廃棄
物の処理に伴う問題**です。「**持続的発展**」をキーワードに、企業
には**3R(リデュース、リユース、リサイクル)**に基づく製品設
計と生産を求め、国民一人一人にもその生活スタイルを見直す
よう求めて、これまでの大量生産、大量消費、大量廃棄を見直し、
将来にわたって持続可能な社会を形成しようとする問題です。
　このように、最近の環境問題は企業及び国民の**自主的な取組
み**が必要となっています。

> ※：化学物質の安全管
> 理
> 化学物質が環境を経由
> して人の健康に被害
> を及ぼすことを未然
> に防止することを目
> 的として、1973(昭和
> 48)年に「化審法」が
> 制定された(P29)。ま
> た、化学物質の有害性
> 情報の伝達の仕組みと
> してSDS(安全性デー
> タシート)制度がある
> (P31)。

---

### ☑ ポイント

①環境問題が公害問題のような地域環境問題から、地球環境問題、
　化学物質の安全管理の問題、循環型社会形成対応に変わってきた
　背景と問題解決の手法の変化を理解しておく。
②環境基本法以降の法律は、それまでの一律規制から企業の自主的
　取組みを取り入れた「自主と規制のベストミックス」と呼ばれる
　ものに変わった。有害大気汚染物質対策、揮発性有機化合物規制、
　PRTRは「自主と規制のベストミックス」の代表例である。

第1章
第2章
第3章
第4章
第5章
第6章
第7章

---

第 2 章

# 環境基本法と環境関連法

---

## 2-1 環境基本法

環境基本法の概要を解説します。環境基本法は、環境行政の目標や施策の体系などの基本的方向性を定める法律です。環境基本法を頂点として、各種環境関連法が定められています。

### 1 基本理念

「環境基本法」※は、**基本理念**を定め、国、地方公共団体、事業者及び国民の**責務を明らかにする**とともに、「環境の保全」についての**施策を総合的かつ計画的に推進**し、現在及び将来世代の国民の健康で文化的な生活の確保に寄与するとともに人類の福祉に貢献することを目的としています。

環境基本法では、基本理念として

① 「環境の恵沢の享受と継承等」(法第3条)

② 「環境への負荷の少ない持続可能な社会の構築等」(法第4条)

③ 「国際的協調による地球環境保全の積極的推進」(法第5条)

の3つを掲げています。

そして、環境の保全に関する施策の策定及び実施は、基本理念にのっとり、次に掲げる事項の確保を旨として、各種の施策相互の有機的な連携を図りつつ総合的かつ計画的に行わなければならないとしています(法第14条)。

一　人の健康が保護され、及び生活環境が保全され、並びに自然環境が適正に保全されるよう、大気、水、土壌その他の環境の自然的構成要素が良好な状態に保持されること。

二　生態系の多様性の確保、野生生物の種の保存その他の生物の多様性の確保が図られるとともに、森林、農地、水辺地等における多様な自然環境が地域の自然的社会的条件に応じて体系的に保全されること。

三　人と自然との豊かな触れ合いが保たれること。

## 2 環境基本法が定める施策

　環境基本法における環境保全に関する主な基本的施策としては、①**環境基本計画**(法第15条)、②**環境基準**(法第16条)、③**公害防止計画**(法第17条、法第18条)、④**環境影響評価の推進**(法第20条)、⑤経済的措置(法第22条)、⑥環境教育(法第25条)、⑦地球環境保全等への国際協力(法第32条〜法第35条)、⑧地方公共団体の施策(法第36条)、⑨費用負担及び財政措置(法第37条〜法第39条)などがあります。

　ここでは主な施策について解説します。

### ●環境基本計画

　国は、環境保全施策の総合的・計画的推進を図るため、**環境基本計画**※を策定しています。環境基本計画は、国のみならず、地方公共団体、事業者、国民、民間団体が公平に役割を分担し、自主的かつ積極的に環境保全活動を実施することによって、環境への負荷の少ない持続可能な社会の形成を目指しています。

　これまで第一次から第四次まで環境基本計画が策定されてきました。2012年(平成24)に閣議決定された**第四次環境計画**では、2011(平成23)年3月11日の東日本大震災やそれに伴う福島原子力発電所の放射性物質放出事故を踏まえ、目指すべき持続可能な社会の姿として、これまでの「**低炭素**」・「**循環**」・「**自然共生**」の各分野を統合的に達成することで持続可能な社会を構築するという目標の基盤として、「**安全**」が確保される社会であることが新たに位置付けられました。また、重視すべき方向として、①政策領域の統合による持続可能な社会の構築、②国際情勢に的確に対応した戦略をもった取組みの強化、③持続可能な社会の基盤となる国土・自然の維持・形成、④地域をはじめ様々な場における多様な主体による行動と参画・協働の推進の4つが設定されました。また、「社会・経済のグリーン化とグリーン・イノベーションの推進」など、9つの優先的に取り組む重点分野が定められたほか、東日本大震災からの復旧・復興に際

※：環境基本計画
環境基本法(平成5年11月)の制定によりはじめて、政府全体の環境の保全に関する施策の基本的方向を示す計画が定められることとなった。また、環境基本計画には、政府の取組みの方向を示すだけでなく、地方公共団体、事業者、国民のあらゆる主体の自主的、積極的取組を効果的に全体として促す役割も期待されている。これまで、第一次(平成6年12月16日閣議決定)、第二次(平成12年12月22日閣議決定)、第三次(平成18年4月7日閣議決定)、第四次(平成24年4月27日)、第五次(平成30年4月17日)の環境基本計画が策定されてきた。

して環境面から配慮すべき事項や放射性物質による環境汚染からの回復等の環境汚染対策が進められています。

第五次環境基本計画（2018（平成30）年4月閣議決定）では、4部構成となり、第1部は、環境・経済・社会の状況と環境政策の展開の方向について、第2部は環境政策の具体的な展開として、①分野横断的な6つの「重点戦略」（経済、国土、地域、暮らし、技術、国際）を設定し、「地域循環共生圏」の創造を目指すこと、②環境リスク管理等の環境保全の取り組みについては、「重点戦略を支える環境政策」を着実に推進すること、第3部は、計画の効果的実施として、国及び各主体による取り組みの推進、計画の点検・指標の活用、計画の見直しについて記載し、第4部は環境保全施策の体系として、環境保全施策の全体像を体系的に記載している。

### ●環境基準

公害防止の個別対策を進めるに当たっては、終局的に大気、水、土壌、静けさなどをどの程度に維持するかという目標を明確に決め、その対策を実施していくことが必要です。この公害対策の目標値として定められている具体的数値が**環境基準**※です。

環境基本法第16条第1項で、政府の環境基準の設定の義務が規定されており、また、同条第4項で環境基準が**政府としての努力目標**であることが明確にされています。環境基準は「**維持されることが望ましい基準**」であり、最大許容限度や受忍限度ではありません。環境基準は、その限度を超えると直ちに健康被害等の影響を及ぼすものではありませんが、逆に、その濃度まで汚染してもよいという基準でもありません。

### ●公害防止計画

公害防止計画※は、従来のような個々の工場・事業場への規制だけでは公害を防止できないとの反省に立って、公害対策基

※：環境基準
2013（平成25）年4月現在、環境基準として次のものが設定されている。
①水質汚濁に係る環境基準（昭和46年環告59号）
②大気の汚染に係る環境基準（昭和48年環告25号）
③航空機騒音に係る環境基準（昭和48年環告154号）
④新幹線鉄道騒音に係る環境基準（昭和50年環告46号）
⑤二酸化窒素に係る環境基準（昭和53年環告38号）
⑥土壌の汚染に係る環境基準（平成3年環告46号）
⑦ベンゼン等による大気の汚染に係る環境基準（平成9年環告4号）
⑧地下水の水質汚濁に係る環境基準（平成9年環告10号）
⑨騒音に係る環境基準（平成10年環告64号）
⑩ダイオキシン類による大気の汚染、水質の汚濁及び土壌の汚染に係る環境基準（平成11年環告68号）
⑪微小粒子状物質に係る環境基準（平成21年環告33号）

本法の制定時に特定地域における公害防止の具体的施策として
導入されたものです。公害防止計画は、関係都道府県知事が任
意で作成しますが、その一部を構成する公害防止対策事業案に
ついて国に財政上の特別措置を求める場合には、環境大臣と協
議し同意を得る必要があります。

### ●環境影響評価

　我が国の環境影響評価制度は、1972（昭和47）年6月の「各種
公共事業に係る環境保全対策について」の閣議了解以降、道路、
港湾計画、公有水面埋め立て、電源立地などの各種公共事業に
つき、個別法又は行政措置による環境影響評価に取り組み、通
達等によって環境影響評価を実施してきました。また、この閣
議了解や四日市公害訴訟判決（1972（昭和47）年7月）を契機とし
て、地方自治体も、条例、要綱等による環境影響評価の制度化
を進めました。

※：公害防止計画
2011（平成23）年の改正により、環境大臣による策定指示や同意（の一部）が廃止された。現在は都道府県知事が任意で公害防止計画を作成し、財政上の特別措置を受けようとする場合には、公害防止対策事業計画の環境大臣の同意を求める協議が必要となる。

> **☑ ポイント**
> ①環境基本法には、3つの基本理念にのっとり、「環境の保全」についての施策を推進することが定められている。
> ②基本的施策として、環境基本計画、環境基準、公害防止計画、環境影響評価の推進などが掲げられている。
> ③環境基準は「維持されることが望ましい基準」、すなわち「公害対策の目標値」である。

第1章
第2章
第3章
第4章
第5章
第6章
第7章

# 練習問題

問7 粒子状物質(PM)の種類に関する記述として，誤っているものはどれか。

(1) ばいじんとは，燃料などの燃焼に伴って発生するものである。

(2) 粉じんとは，物の破砕や選別等に伴い発生，飛散するものである。

(3) 浮遊粒子状物質とは，大気中に浮遊している PM で，粒径 2.5 μm 以下のものである。

(4) 一次粒子とは，工場やディーゼル自動車などの発生源から排出されるものである。

(5) 二次生成粒子とは，$SO_2$，$NO_x$ や VOC などから大気中で生成するものである。

## 解説

「大気汚染に係る環境基準について」の「別表」の「備考1」に定義が記載されている。すなわち、「浮遊粒子状物質とは、大気中に浮遊する粒子状物質であって、その粒径が10 μm 以下のものをいう。」が正しいので、(3)が誤りである。

また、微小粒子状物質の定義は、「微小粒子状物質による大気の汚染に係る環境基準について」の「第1 環境基準」の第4項に「微小粒子状物質とは、大気中に浮遊する粒子状物質であって、粒径が2.5 μmの粒子を50%の割合で分離できる分粒装置を用いて、より粒径の大きい粒子を除去した後に採取される粒子をいう。」と記載されている。

正解 >> (3)

## 2-2　環境関連法

環境基本法を支える各種環境関連法について解説します。大気汚染や水質汚濁などの公害問題を解決するために制定された各種環境関連法の概要を理解しておきましょう。

### **1** 大気規制関連法

#### ◉大気汚染防止法

　大気汚染の防止と国民の健康の保護と生活環境の保全を図る法律として、1968（昭和43）年に「**大気汚染防止法**」が制定されました。「環境基準」を達成することを目標に、固定発生源（工場や事業場）から排出される大気汚染物質について、物質の種類ごと、排出施設の種類・規模ごとに**排出基準**が定められており、大気汚染物質の排出者はこの基準の遵守義務が課されています。

　ばい煙の排出基準は、大別すると、
　①**一般排出基準**※
　②**特別排出基準**※
　③**上乗せ排出基準**※
　④**総量規制基準**※
の基準があります。これらの排出基準には、量規制、濃度規制及び総量規制の方法が採用されています。

#### ◉有害大気汚染物質

　大気汚染防止法では、1996（平成8）年に有害化学物質の排出を削減するために有機塩素化合物を中心に有害大気汚染物質（該当する可能性のある物質として234種類）が指定され、そのうち優先的な対策が急がれる優先取組物質として22種類が指定されました。なかでも、早急に排出抑制すべき物質として、

※：**一般排出基準**
ばい煙発生施設ごとに国が定める基準

※：**特別排出基準**
大気汚染の深刻な地域において、新設されるばい煙発生施設に適用されるより厳しい基準（硫黄酸化物、ばいじん）

※：**上乗せ排出基準**
一般排出基準、特別排出基準では大気汚染防止が不十分な地域において、都道府県が条例によって定めるより厳しい基準（ばいじん、有害物質）

※：**総量規制基準**
上記に挙げる施設ごとの基準のみによっては環境基準の確保が困難な地域において、大規模工場に適用される工場ごとの基準（硫黄酸化物及び窒素酸化物）

※：排出抑制基準
「指定物質抑制基準」の
こと。被害の未然防止
の観点から、指定物質
について、施設の種類
と設備能力を限定して
設定された排出基準。
一律規制ではないの
で、違反した場合の罰
則規定はない。

※：環境基準
正式名称：ベンゼン等
による大気の汚染に係
る環境基準について
（平成9年2月4日環告
4号）

※：揮発性有機化合物
大気汚染防止法施行令
第2条の2で、揮発性
有機化合物から除く物
質として、メタンと7
種類のフロン化合物の
合計8物質が規定され
ている。

ベンゼン、トリクロロエチレン、テトラクロロエチレンの3物質が**指定物質**として指定され、**排出抑制基準**※が設定されました。また、この3物質にジクロロメタンを加えた4物質には、**環境基準**※が設定されています。なお、有害大気汚染物質については、PRTR法の指定物質の政令改正の2009（平成21）年の施行を踏まえ、2010（平成22）年9月、有害物質リストの見直しが行われ、有害物質リストに248物質、優先取組物質に23種類が掲げられることになりました。

### ◉ VOC規制

2004（平成16）年には、大都市地域を中心として全国で環境基準達成率の低かった浮遊粒子状物質（SPM）、及び光化学オキシダント（Ox）の原因物質のひとつである**揮発性有機化合物**※（VOC）に係る工場等の固定発生源からの排出規制措置等を講じるため、大気汚染防止法が改正され、目的規定にVOCの規制を追加し、工場・事業場に設置される施設で、VOCの排出量が多いためにその規制を行うことが特に必要なものを排出規制の対象施設（VOC排出施設）としました。施策の指針として、VOCの排出規制と事業者の自主的取組みとを適切に組み合わせて効果的な排出抑制を図る（自主と規制のベストミックス）ことを定めました。

### ◉ 微小粒子状物質

2009（平成21）年9月に微小粒子状物質に係る環境基準が設定され、「1年平均値が$15\mu g/m^3$以下であり、かつ、1日平均値が$35\mu/m^3$以下であること」が告示されました。

### ◉ 石綿（アスベスト）

「粉じん」とは、物の破砕やたい積等により発生し、又は飛散する物質をいいます。このうち、大気汚染防止法では、人の健康に被害を生じるおそれのある物質を「**特定粉じん**」（現在、

石綿を指定）、それ以外の粉じんを「一般粉じん」として定め、規制が行われています。

　特定粉じん（つまり石綿）では、特定粉じん発生施設に係る隣地との敷地境界における規制基準（「**敷地境界基準**」※という）が定められています。

　なお、2006（平成18）年には、石綿を使用している工場プラント等の工作物の解体作業を規制対象に追加しています。この改正により、工作物の解体作業についても、建築物の場合と同様に、都道府県知事への事前届出、作業場の隔離等の作業基準の遵守が義務付けられました。

※：敷地境界基準
工場・事業場の敷地境界における大気中濃度の基準として、「1リットルにつき石綿繊維10本」と定められている。

### ●最近の主な改正

　工場・事業場からのばい煙等の測定結果の記録についても、一部事業者において改ざん等の事実が明らかになったこともあり、2010（平成22）年の法改正により、記録改ざん等に対する罰則の創設が、2015（平成27）年の法改正では、工場及び事業場における事業活動に伴う水銀等の排出規制が追加されました。

### 2 水質規制関連法
### ●水質汚濁防止法

　1970（昭和45）年の公害国会において「**水質汚濁防止法**」が制定されました。この法律の目的は、工場及び事業場から**公共用水域**（川、湖・沼、海）に排出される水の排出及び地下に浸透する水の浸透を規制するとともに、生活排水対策の実施を推進すること等によって、公共用水域及び地下水の水質の汚濁の防止を図り、もって国民の健康を保護するとともに生活環境を保全し、並びに工場及び事業場から排出される汚水及び廃液に関して、人の健康に係る被害が生じた場合における事業者の損害賠償の責任について定めるところにより被害者の保護を図ることにあります。すなわち、水質汚濁防止法の中心的役割は、**特定**

事業場から公共用水域への排水を規制することにあります。

### ◉排水基準

※：排出水
特定施設を設置する工場・事業場（特定事業場）から排出される水はすべて排出水になるので、雨水や生活排水も公共用水域に排出する場合は排水基準が適用される。

規制の対象として、特定施設を設置する工場・事業場から排出される水（**排出水**<sup>※</sup>）には**排水基準**が適用されます。なお、有害物質に係る排水基準は排出水の量にかかわらず適用されますが、生活環境項目に係る排水基準にあっては1日当たり排水量50m³以上に適用されます。また、特定施設とは汚水又は廃液を排出する施設で、ほぼ全業種にわたり定められています（法施行令別表第1）。また、届出、許可申請の対象となる特定事業場は、特定施設の設置等をする地域と工場・事業場（特定事業場）の排水量により、該当する法律に基づき届出や許可申請が必要となります。排水基準については、都道府県は国の定める一律基準に代えてそれよりも厳しい上乗せ基準を適用することができます（法第3条第3項）。

### ◉総量規制

※：水質総量規制
2001（平成13）年12月に策定された第5次の規制からは、窒素とりんの規制が追加された。2021（令和3）年10月に2024（令和6）年度を達成目標として、基本的には全海域とも現状維持を目標値として第9次の規制が策定されている。

1978（昭和53）年6月の改正によって、いわゆる閉鎖性水域の水質保全対策として、従来の濃度規制に加え**水質総量規制**<sup>※</sup>**の導入**を図るなど強化されました。1979（昭和54）年6月にCODの総量削減方針が定められ、東京湾等において水質総量規制が実施されました。また、湖沼等の閉鎖性水域の水質保全のために、1984（昭和59）年に「湖沼特別措置法」が制定されたことによって、水質汚濁防止法による水質総量規制は、専ら閉鎖性海域を対象とするものになりました。

### ◉最近の主な改正

また、大気汚染防止法と同様に工場・事業場からの排出水の汚染状態等の測定結果の記録について、一部事業者において、改ざん等の事実が明らかになったこともあり、2010（平成22）年の法改正により、公害防止の取組みを促進する観点から、排

出水等の測定結果の記録改ざん等に対する罰則の創設、事故時
の措置の対象等の追加、事業者の責務規定の創設など、所要の
改正が行われました。
　また、近年の工場又は事業場からの地下水汚染事例により、
**地下水汚染の未然防止**のために実効性のある取組みの推進を図
る必要性から、2011（平成23）年の法改正により、**対象施設の
拡大**※、構造等に関する基準順守義務、定期点検の義務の創設
などが改正されました。すなわち、有害物質を貯蔵する施設等
の設置者は、施設の構造等について、都道府県知事等に事前届
出が義務付けられ（法第12条の4）、構造等に関する基準を遵守
し（法第5条第3項）、施設の構造・使用等の方法について、定
期的な点検を負うこととなりました（法第14条第5項）。また、
浄化措置命令の対象施設として、有害物質貯蔵指定事業場が追
加されました（法第14条の3）。

※：対象施設の拡大
有害物質使用特定施設
と有害物質貯蔵指定施
設が対象施設となっ
た。

### ３ 土壌汚染関連法
#### ●土壌汚染対策法
　1975（昭和50）年に江戸川区の工場跡地が六価クロムに汚染
されていることが顕在化し、1981（昭和56）年や1984（昭和59）
年に国の試験研究機関の移転跡地から水銀等の有害物質が検出
されるなど、住宅が密集する市街地での土壌汚染が問題となり、
2002（平成14）年に「**土壌汚染対策法**」が制定されました。
　土壌汚染対策法の目的は、土壌の特定有害物質による汚染の
状況の把握に関する措置、及びその汚染による人の健康に係る
被害の防止に関する措置を定めること等により、土壌汚染対策
の実施を図り、もって国民の健康を保護することにあります。
その枠組みは、有害物質の取扱工場・事業場の廃止時や用途の
変更時、又は土壌汚染の可能性の高い土地で必要なときをとら
えて、その土地の所有者（所有者、占有者又は管理者）が調査を
実施し、その結果、法に定める特定有害物質に係る指定基準を
超えるなど、リスク管理が必要と考えられるレベルを超える土

壌汚染がある場合には「リスク管理地」(**指定区域**)として都道府県知事が指定し、公告するとともに管理台帳に記載し、公衆に閲覧させるというものです。

法の対象物質は、それが土壌に含まれることに起因して人の健康に係る被害を生ずるおそれがあるものとされる「**特定有害物質**※」です(法第2条)。物質の選定に当たっては、①特定有害物質が含まれる汚染土壌を直接摂取することによるリスク、②汚染土壌からの特定有害物質の溶出に起因する汚染地下水等の摂取によるリスクという二つのリスクの観点から政令により定められています。

●**最近の主な改正**

2009(平成21)年3月に土壌汚染対策法の改正案が閣議決定され、同月4月に公布され、2010(平成22)年に施行されました。主な改正点は、①土壌汚染状況の把握のための制度の拡充、②規制対象区域の分類等による講ずべき措置の内容の明確化、③汚染土壌の適正処理の確保、④その他です。

まず、①土壌汚染状況の把握のための制度の拡充とは、調査の契機の拡大を図ったことです。新たに、一定規模(3000m²)以上の土地の形質の変更に対する届出と土壌汚染調査の命令が追加されました(法第4条第1項)。

次に、②規制対象区域の分類等による講ずべき措置の内容の明確化については、指定基準に適合しない土地について、従来の指定区域に代えて、健康被害の生ずるおそれの有無に応じて、都道府県知事が「**要措置区域**」(法第6条第1項)と「**形質変更時要届出区域**」(法第11条第1項)とに分類して指定することとなりました。前者の要措置区域は、特定有害物質によって土地の土壌の汚染状態が環境省令で定める基準に不適合で、かつ土壌が特定有害物質による汚染により、人の健康に係る被害が生じ、又は生ずるおそれがある場合です。後者の形質変更時要届出区域は、特定有害物質によって土地の土壌の汚染状態が環境省令

で定める基準に不適合ではあるが、直ちに健康被害のおそれはない土地とされています。要措置区域に指定された場合には、当該土地の所有者等に対し、都道府県知事は、健康被害の防止のための措置を講ずるべきことを指示します（法第7条第1項）。形質変更時要届出区域は、土地所有者等が土地の形質を変更するときには、その14日前までに都道府県知事に届出をする義務を負います（法第12条第1項）。

　そして、③汚染土壌の適正処理の確保として、規制対象区域内の土壌の搬出規制、搬出土壌管理票の交付及び保存の義務、搬出土壌の処理業許可制度などが導入されました。

## ４ 地盤沈下関連法
### ◉工業用水法

　地盤沈下は地下水や天然ガスの採取などが原因で起こり、いったん起こればその回復は困難です。1950年代には、深井戸のさく井※に関する揚水技術の進歩と、経済復興による水需要の増大によって地盤沈下が顕著となりました。そこで、1956年（昭和31）年に「**工業用水法**」が制定されましたが、その目的が工業用水の供給確保と地下水の水源保全を主としていたため、効果が上がりませんでした。そのため地方自治体の中には、大阪市のように「地盤沈下防止条例」（1959（昭和34）年）を制定し、その他の揚水施設の新設規制に取り組むところもありました。

　1961（昭和36）年の第二室戸台風の甚大な被害を契機として、1962（昭和37）年に工業用水法が改正され、法の目的の中に地盤沈下の防止を加え、地下水採取の規制が強化されました。

　工業用水法は、工業（製造業、電気・ガス・熱供給業）の用途に使用する地下水採取の規制を目的としており、政令により規制を行う地域を指定し、その地域内における一定規模以上の井戸による地下水の採取を都道府県知事の許可制としています。すなわち、①工業の用、②一定規模以上の井戸、③指定地域制、

※：さく井（さくせい）
井戸を掘ること。ちなみに漢字では「鑿井」と書く。「鑿」は「のみ」とも読み、木や石に穴をあける道具の「のみ」のこと。

④許可制の4つの枠組みとなっています。

●ビル用水法※

　1962(昭和37)年に**ビル用水法**が制定されました。ビル用水法は、冷暖房設備、水洗便所、自動車の洗車設備及び公衆浴場(浴室床面積の合計が150m²以上)の用途に使用する地下水採取を規制するものであり、その規制の枠組みは工業用水法と同様です。

　規制対象は、工業用水法では工業用の井戸(動力を用いて地下水を採取するための施設)であり、ビル用水法では建築物用の揚水設備(動力を用いて地下水を採取するための設備)となっています。上下水道用水、農業用水等は規制対象外であるため、条例等で規制することが少なくありません。なお、揚水機の吐出口の断面積が6cm²以下の揚水機や動力を用いない手押しポンプなどは、地盤沈下への影響が少ないと考えられることからいずれも規制対象外となっています。

●条例などによる規制

　地方公共団体では、条例、要綱等により、許可制や届出制による規制の枠組みを定め、揚水施設の構造や用水量による規制基準を明らかにし、許可の取り消しや設置の改善命令等による規制基準の担保手段などを基本構造としています。

　まず、規制対象をみると、①全用途地下水とするもの、②指定地域内での工業用・ビル用の規制のみとするもの、③上下水道、工業用水道用、農業用などとその用途により分類できます。また、規制対象地域について、工業用水法の指定地域外についても規制区域とするものや規制基準についても、**揚水設備のストレーナー※の位置**及び**揚水機の吐出口の断面積**に一定の基準を設けて揚水能力の規制を行うもの、揚水量自体の削減を図るもの、地下水の循環利用等の合理化を勧告するものなどがあります。

## ⑤ 騒音・振動関連法

騒音・振動は、人の感覚により個人差のある感覚公害のひとつです。典型公害のひとつとして、1967(昭和47)年の(旧)公害対策基本法制定時に取り上げられました。騒音と振動は同一発生源から発生することも多く、規制もほぼ同じ仕組みのため、一括して取り上げられることが多くなっています。

なお、騒音については環境基準※が設定されています。

※：環境基準
振動については環境基準は設定されていない。

### ●騒音規制法と振動規制法

規制法として、「**騒音規制法**」、「**振動規制法**」があり、騒音・振動を防止することにより生活環境を保全すべき地域を、都道府県知事(指定都市、中核市、特例市及び特別区にあってはその長)が指定し、この指定地域内にある法で定める工場・事業場及び建設作業の騒音・振動を規制します。また、自動車から発生する騒音の許容限度を環境大臣が定め、市町村長が都道府県公安委員会に対して、道路交通法の規定による措置を取るべきことを要請すると規定されています。

道路交通騒音の著しい幹線道路の沿道の騒音防止については「幹線道路沿道整備法」、航空機騒音については「航空機騒音障害防止法」があります。新幹線騒音については、環境基準は定められていますが、個別の規制法はありません。

騒音・振動対策の規制としては、①特定工場等に対する規制、②特定建設作業に関する規制、③道路交通にかかわる要請が主たるものです。

## ⑥ 悪臭関連法

悪臭は、騒音・振動と同じく感覚公害と呼ばれるもののひとつです。悪臭は、住民の生活環境を損なうものとして古くから問題とされてきましたが、全国的な公害問題として認識されるようになったのは、都市化による進展の影響が出始めた1960年代後半になってからといえます。1971(昭和46)年に「**悪臭**

防止法」が制定されるまでは、「と畜場法や化製場等に関する法律」（旧へい獣処理場等に関する法律を1988（昭和63）年に改称）等の運用による対処や、地方公共団体の公害防止条例等による規制があるにとどまっていました。

#### ●悪臭防止法

悪臭防止法は1970（昭和45）年のいわゆる公害国会において成立し、1972（昭和47）年5月から施行されましたが、2000（平成12）年に改正されています。この法律は、「工場その他の事業場における事業活動に伴って発生する悪臭について必要な規制を行い、その他悪臭防止対策を推進することにより、生活環境を保全し、国民の健康の保護に資することを目的」（法第1条）とし、その規制方法は騒音規制法、振動規制法と同様です。

#### ●特定悪臭物質

規制対象となる「**特定悪臭物質**※」とは、アンモニア、メチルメルカプタン、硫化水素など22物質が定められています（法第2条第1項、法施行令第1条）。**悪臭原因物質**とは、特定悪臭物質を含む気体又は水その他の悪臭の原因となる気体又は水をいいます（法第3条）。「事業場」であれば、規模の大小を問わず規制対象となりますが、船舶、航空機、自動車等の移動発生源や建設工事の作業場など一時的なものは規制の対象外です。

#### ●規制の方法

**特定悪臭物質濃度による規制**と**臭気指数による規制**の2通りが併記されています（法第4条）。臭気指数による規制は1995（平成7）年改正で追加された方式です。臭気指数による規制は、特定悪臭物質濃度による規制基準では生活環境を保全することが十分でないと認められる区域があるとき、これに代えて適用する規制基準です。規制基準は、都道府県知事が規制地域の自然的・社会的条件を考慮し、必要に応じて規制地域を区分しなが

ら、特定悪臭物質の種類ごとに、次のような3種類の排出形態に対応して規制基準を設定しています（法第4条）。すなわち、

　①事業場の建物全体から排出されるもの
　②事業場の煙突その他の気体排出施設から排出されるもの
　③事業場の敷地外に排出される排出水に含まれるもの
などです。

### ７ 化審法

　1960年代後半に発生したポリ塩化ビフェニル（PCB）による公害を契機として、1973（昭和48）年に制定された**化審法**※は、化学物質が環境を経由して人の健康に被害を及ぼすことを未然に防止することを目的としています。具体的には、人の健康を損なうおそれのある化学物質による環境汚染を防止するため、新規化学物質については、製造・輸入される前に既存の科学的知見や試験データにより、分解性※、蓄積性※、長期毒性※の有無を事前に審査し（事前審査制度）、その結果により、製造、輸入、使用等について必要な規制措置が取られます。

### ◉規制の方法

　2003（平成15）年と2009（平成21）年及び2017（平成29）年に大きな改正が行われ、2009（平成21）年の改正では、①既存化学物質も含めた包括的管理制度の導入、②流通過程における適切な化学物質管理の実施などに関する改正が行われました。すなわち、既存化学物質を含むすべての化学物質について、一定数量（1t/年）以上の製造・輸入を行った事業者に対して、毎年度その数量等を行政に届ける義務を課しています。その届出の内容や有害性に係る既存の知見等を踏まえ、「難分解性」で「高蓄積性」が認められた化学物質は「**監視化学物質**」に指定され、さらに「人への長期毒性又は高次捕食動物への毒性」が認められた場合は「**第1種特定化学物質**」に指定されて、製造・輸入の許可制（事実上の使用禁止）、特定の用途（人又は生活環境動植

※：化審法
正式名称：化学物質及び製造等の規制に関する法律（昭和48年10月16日法律第117号）

※：「分解性」「蓄積性」「人への長期毒性」の判定基準
分解性：自然的作用による化学的変化を生じにくいものであるかどうか
蓄積性：生物の体内に蓄積されやすいものであるかどうか
人への長期毒性：継続的に摂取される場合には、人の健康を損なうおそれがあるものであるかどうか
この3つが揃うと、第1種特定化学物質となる。

物への被害が生じるおそれがない用途）以外での使用の禁止等の規制がかけられます。

　一方、届出の内容や有害性に係る既存の知見等からは、「人への長期毒性又は生活環境動植物への生態毒性」及び「被害のおそれが認められる残留毒性」のリスクが十分に低いと認められない化学物質は「**優先評価化学物質**」に指定し、必要に応じて、優先評価化学物質の製造・輸入事業者に有害性情報の提出を求めるとともに、取扱事業者も使用用途の報告を求められます。優先評価化学物質に係る情報収集及び安全性評価を段階的に進めた結果、「人又は生活環境動植物への毒性」があり、「被害のおそれのある環境残留性」が認められたものは「**第2種特定化学物質**※」に指定され、製造・輸入予定/実績数量等の届出等の規制がかけられます。

※：第2種特定化学物質
「蓄積性」が認められないことが、第1種特定化学物質との違いである。

　2017（平成29）年の改正では、①少量新規化学物質、低生産量新規化学物質確認制度の見直し、②新しい区分（特定一般化学物質）の導入が行われました。①については、特例制度の全国数量上限について、「製造・輸入数量」から「環境排出量」（製造・輸入数量に用途別の排出係数を乗じた数量）に変更することにより、個々の事業者による事業計画の予見可能性を高めることを意図しています。②については、近年、機能性が高い化学物質には、その反応性から著しく毒性が強いものでも、環境排出量が少ないため、優先評価化学物質には該当しない物質が出てきているので、新規化学物質の審査において新たに著しい毒性が確認されたものは特定一般化学物質として指定されることになりました。

※：PCB法
正式名称：ポリ塩化ビフェニル廃棄物の適正な処理に関する特別措置法（平成13年6月22日法律第65号）

## 8 PCB 法※

　PCBとは、**ポリ塩化ビフェニル化合物**の総称です。**不燃性で絶縁性が高い**ことなど**化学的に安定した特性**から、高圧コンデンサーやトランスなどの絶縁油、熱交換器の熱媒体、感圧複写紙などに使用されていましたが、1968（昭和43）年の**カネミ**

油症事件を契機にその有毒性が問題となり、1972（昭和47）年に行政指導により生産中止となりました。そして、1973（昭和48）年に制定された**化審法**により、その新規の製造、輸入、使用が原則禁止になりました。

　製造等の禁止後も有効な処理方法がないまま、長年の保管によるPCB含有物品の紛失、不明が問題となっていましたが、1997（平成9）年の廃棄物処理法の改正時に従来の高温焼却に加え、化学的無害化処理法が正式にPCBの処理方法として認められたことにより、各企業において適正処理計画の具体化の動きがみられるようになりました。また、国際的にも2001（平成13）年に残留性有機化合物（POPs※）の製造、使用を規制するPOPs条約が採択され、PCBについては2025（令和7）年までの使用の廃絶、2028（令和10）年までの廃棄物の適正管理が定められました。これを受けて、PCB廃棄物の処理に必要な体制を速やかに整備するため、2001（平成13）年にPCB法が制定されました。

### 9 化管法※

**化学物質排出移動量届出（PRTR）** と **安全データシート（SDS）** の制度を導入することにより、事業者による化学物質の自主的な管理の改善を促進し、環境の保全上の支障を未然に防止するため、1999（平成11）年に化管法が制定され、2008（平成20）年に法の対象物質が見直され、さらに、2021（令和3）年の改正で、2023（令和5）年4月から対象物質が562物質から649物質に増えました。

　法の対象物質は、**第1種指定化学物質**※（PRTR＋SDSの対象物質：515物質）及び**第2種指定化学物質**※（SDSの対象物質：134物質）に区分され、人や生態系への有害性や環境中に広く存在するという暴露可能性の観点から、政令によって指定されています。

　PRTR制度により、事業者が自ら把握し、都道府県経由で国

※：POPs
POPs：Persistent Organic Pollutants

※：化管法
正式名称：特定化学物質の環境への排出量の把握等及び管理の改善の促進に関する法律（平成11年7月13日法律第86号）。PRTR法とも呼ばれる。

※：「指定化学物質」の見直し
1999年の法制定時（2001年4月から適用）は、第1種指定化学物質354物質、第2種指定化学物質81物質でスタートし、2008年の見直し（2010年4月から適用）で462物質と100物質に変更となり、2021年の改正で（2023年4月から適用）で現在は515物質と134物質に変更となった。

に届け出た年度ごとの排出量及び移動量について、国は届出データを公表しています。また、国は届出義務対象外の排出源（家庭、農地、自動車等）からの排出量を推計して集計し併せて公表しています。

SDS制度は、事業者による化学物質の適切な管理を促進するため、事業者が第1種や第2種に指定された対象化学物質を含有する製品を他の事業者に譲渡又は提供する際に、その化学物質の性状及び取扱いに関する情報を提供することを義務付ける制度です。

**⑩ 水銀汚染防止法**※

**水銀による水俣条約**を的確かつ円滑に実施し、水銀による環境汚染を防止するため、**水銀の採掘の禁止**、**特定の水銀使用製品の製造の禁止**、**部品としての使用制限**、**特定の製造工程における水銀等の使用禁止**、**水銀等を使用する方法による金の採取の禁止**、及び**水銀を含む再生資源の管理及び定期的な報告等**が規定されました。

この法律は水俣条約の発効日の2017（平成29）年8月16日に一部を除き施行されました。この法律に関連して、水銀の大気排出規制について大気汚染防止法及び同施行令が改正・施行されています。また、廃棄物処理法も改正され、廃水銀が特別管理廃棄物に指定されました。こちらは、一部がすでに2016（平成28）年4月1日に施行され、2017（平成29）年10月1日から全面施行となっています。

※：水銀汚染防止法
正式名称：水銀による環境の汚染の防止に関する法律（平成27年6月19日法律第42号）

---

☑ ポイント

①各環境関連法とその法律の用語との組合せを問う出題が多い。
②環境関連法は範囲が広いので、**太字**のキーワードを中心に覚えておく。

# 練習問題

問8　揮発性有機化合物(VOC)に関する記述中，下線を付した箇所のうち，誤っているものはどれか。

VOCについては，2000(平成12)年度の推定排出量を，2010(平成22)年度に5
<u>(1)</u> <u>(2)</u>
割程度削減することを目標として，大気汚染防止法の改正が行われた。塗装，印
刷，接着などの大規模排出源への排出濃度による規制に加えて，その他の事業所
<u>(3)</u> <u>(4)</u>
における自主的取り組みの推進が主な改正点であった。
<u>(5)</u>

## 解説

固定発生源から大気へのVOC排出量は、2000(平成12)年度で年間約142万tと推定されており、2010(平成22)年度に排出量を3割程度削減することを目標として、大気汚染防止法の改正が行われた。塗装、印刷、接着などの大規模排出源への排出濃度規制に加えて、その他の事業所における自主的取り組みの推進が主な改正点であり、2006(平成18)年度から施行された。

下線部の記述より、設問の(2)の「5割程度削減」が誤りである。この「3割」を記憶していなかったとしても、行政の目標設定として、いきなり半減(50%削減)は改善のための設備投資を考えると、資金余裕の少ない中小企業にとっては高すぎる目標と考えられるので容易に誤りと判断できる。

正解 >> (2)

第1章
第2章
第3章
第4章
第5章
第6章
第7章

# 練習問題

問3　次の法律とその法律に規定されている用語の組合せとして，誤っているものは
どれか。

|  | （法律） | （用語） |
|---|---|---|
| (1) | 大気汚染防止法 | 敷地境界基準 |
| (2) | 水質汚濁防止法 | 指定物質措置基準 |
| (3) | 土壌汚染対策法 | 要措置区域 |
| (4) | 建築物用地下水の採取の規制に関する法律 | ストレーナーの位置 |
| (5) | 悪臭防止法 | 臭気指数 |

**┃ 解　説 ▶**

　水質事故に対する迅速な対応を促進するため水質汚濁防止法が改正され、従来は
有害物質と油について適用されていた「事故時の措置」（第14条の2）が、新たに制
定された「指定物質」についても適用されることになりました。(2)の指定物質につ
いては、事故時の措置のみが適用されるだけで、措置基準というものはありません。

正解 >> (2)

# 練習問題

問14　ダイオキシン類に関する記述中，下線を付した箇所のうち，誤っているものは
どれか。

2,3,7,8-TeCDD（テトラクロロジベンゾ-パラ-ジオキシン）はダイオキシン類
の中で最も毒性が強く，20℃ではほとんど気化せず，水溶性であり，750～
(1)　　　　　　　　　　　　　　(2)　　　　　　　　　　　(3)　　　　　　　(4)
800℃の加熱や紫外線で分解するなどの特徴がある。
(5)

## 解　説

　ダイオキシン類には、多くの異性体がある。これらのうち毒性があるのは
29種類であり、PCDDのうち2・3・7・8の位置に塩素が付いた2,3,7,8-TeCDD
（TetraCholoroDibenzo-p-Dioxin：テトラクロロジベンゾ-p-ジオキシン）が最も毒
性が強く、水に溶けない、20℃ではほとんど気化しない、脂溶性、750～800℃の加
熱や紫外線で分解する、他の発がん物質の発がん性を促進するなどの特徴がある。
　設問(3)の「水溶性」は誤りで、「脂溶性」が正しい。

正解 >> （3）

# 練習問題

問4 次の法律とその法律の定義に規定されている用語の組合せとして，誤っている
ものはどれか。

| （法　律） | （用　語） |
|---|---|
| (1) 大気汚染防止法 | 揮発性有機化合物排出施設 |
| (2) 悪臭防止法 | 臭気指数 |
| (3) 騒音規制法 | 特定建設作業 |
| (4) 水質汚濁防止法 | 指定地域特定施設 |
| (5) ダイオキシン類対策特別措置法 | 耐容一日摂取量適用事業場 |

**解　説**

ダイオキシン類対策特別措置法第6条第1項において、耐容一日摂取量とは、当
該ダイオキシン類を人が障害にわたって継続的に摂取しても健康に影響を及ぼすお
それがない一日当たりの摂取量として、2,3,7,8-四塩化ジベンゾ-パラ-ジオキシン
の量に換算した量である。

(5)のダイオキシン類対策特別措置法のなかに、耐容一日摂取量適用事業場とい
う用語はないので誤りである。

正解 >> （5）

# 練習問題

問14　化学物質の管理に関する記述として，誤っているものはどれか。

(1)　PRTR 制度とは，様々な排出源からの環境への排出及び廃棄物等として移動される化学物質の量の届出を行うものである。

(2)　PRTR 制度は，企業にとって排出量の削減や環境への配慮に対する評価手段として有効であると広く認知されている。

(3)　我が国では，化学物質の製造・使用事業者に対し，第 1 種指定化学物質について事業所からの環境への排出量及び廃棄物等として外部に移動した量の月次報告を義務付けている。

(4)　安全データシート(SDS)には，該当化学物質の性状及び取扱い方法を記載する。

(5)　事業者が届け出る量のほかに，国自身が別途実施する届出外排出移動量等推計値を集計することで，国全体の量が把握できる。

| 解　説 

特定化学物質の環境への排出量の把握等及び管理の改善の促進に関する法律(化管法、PRTR法)第5条第2項は、毎年度、排出量と移動量を6月末までに届け出ることを義務づけています。したがって、(3)は月次報告ではなく、正しくは年次報告となります。

正解 >> （3）

## 2-3　循環基本法と関連法

　循環型社会形成を推進するための関連法について解説します。循環基本法の下に廃棄物処理法や資源有効利用促進法、各種個別リサイクル法などが定められています。

※：循環基本法
正式名称：循環型社会形成推進基本法（平成12年6月2日法律第110号）

### 1 循環基本法※

　2000（平成12）年に循環型社会形成を推進するための基本的な枠組みを構築することを目的に**循環基本法**が制定されました。法律では、「循環型社会」は次のように定義されています（法第2条第1項）。

> （定義）
> 第2条　この法律において「循環型社会」とは、製品等が廃棄物等となることが抑制され、並びに製品等が循環資源となった場合においてはこれについて適正に循環的な利用が行われることが促進され、及び循環的な利用が行われない循環資源については適正な処分（廃棄物（ごみ、粗大ごみ、燃え殻、汚泥、ふん尿、廃油、廃酸、廃アルカリ、動物の死体その他の汚物又は不要物であって、固形状又は液状のものをいう。以下同じ。）としての処分をいう。以下同じ。）が確保され、もって天然資源の消費を抑制し、環境への負荷ができる限り低減される社会をいう。

　法の対象物としては、有価・無価を問わず「廃棄物等」として一体的にとらえ、製品等が廃棄物になることを抑制する一方で、発生した廃棄物等についてはその有用性に着目して、「循環資源」として、その循環的な利用（**再使用**、**再生利用**、**熱回収**）を図るとしています。

　また、**廃棄物等の施策の優先順位**として、①**発生抑制**※、②**再使用**※、③**再生利用**※、④**熱回収**、⑤**適正処分**を法定化していますが、これは環境負荷の有効な低減という観点から定められた原則です。そのため、環境負荷の低減に有効な場合には、必ずしもこの優先順位に従わなくてもよいとされています。ま

※：3R
「発生抑制（Reduce）」「再使用（Reuse）」「再生利用（Recycle）」の英語の頭文字をとって3Rと呼ばれている。

た、循環資源の循環的利用や処分は、環境保全上の支障が生じ
ないように適正に行われることなど、自然界における物質の適
正な循環の確保に関する施策を定めています。

### ●排出者責任と拡大生産者責任

この法律の特徴として、**排出者責任**と**拡大生産者責任(EPR**※**)**
が規定されています。すなわち、法では事業者及び国民の**排出
者責任**(廃棄物等を排出した者がその適正なリサイクルや処理
に関する責任を負うとする考え方)を定めるとともに、**拡大生
産者責任**(製品等の生産者がその生産したものが使用され、廃
棄された後においてもその製品の適正なリサイクルや処分につ
いて責任を負うとする考え方)を明確に位置付けています。

排出者責任とは、廃棄物処理に伴う環境負荷の原因者がその
廃棄物の排出者であり、その処理による環境負荷低減の責任を
負うとするいわゆる**汚染者負担原則(PPP**※**)**の考え方が根底に
あります。

拡大生産者責任では、廃棄物等の発生抑制や循環資源の循環
的な利用及び適正処分に資するように、製造者等には、①製品
の設計・材質を工夫し、②製品の性質又は成分の表示等の情報
提供を行い、③一定の製品が廃棄等された後、その引取りやリ
サイクル等の循環的な利用を実施することが課せられていま
す。

図1に循環型社会形成関連法の体系図を示します。

### 2 資源有効利用促進法※

廃棄物を原材料とするリサイクル対策を強化し、さらに廃棄
物の発生抑制や廃棄物の部品等としての再使用対策の推進を目
的に、2000(平成12)年に「再生資源の利用の促進に関する法律」
(再生資源利用促進法)を抜本的に改正し、法律名も「資源の有
効な利用の促進に関する法律」(**資源有効利用促進法**)と改めら
れました。

※：EPR
Extended Producer
Responsibilityの 頭
文字をとった略称。

※：PPP
Polluter-Pays
Principleの頭文字を
とった略称。

※：資源有効利用促進
法
正式名称：資源の有効
な利用の促進に関する
法律(平成3年4月26
日法律第48号)

第1章
第2章
第3章
第4章
第5章
第6章
第7章

図1 循環型社会形成関連法の体系図

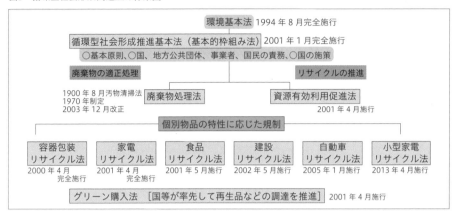

資源有効利用促進法は「**リサイクル法**」と呼ばれています。法律の中ではリサイクルの用語の規定は特にありませんが、リサイクルを促進するための特定業種(省資源・再利用)、指定省資源化製品、指定再利用促進製品、指定表示製品、指定再資源化製品、指定副産物の分類を設定して、それぞれ事業者が行うべき法的措置を規定しています。再生資源とは、使用済物品(一度使用され、又は使用されずに収集され、廃棄された物品)又は工場等で発生する副産物(製品の製造、加工、修理販売等に伴い副次的に得られた物品)のうち有用な資源として利用できるものを言います。従前の再生資源利用促進法では3業種・30品目でしたが、資源有効利用促進法では10業種・69品目に拡大され、事業者に従来のリサイクルの1Rから**リデュース、リユース、リサイクル**の**3R**への取組みを包括的に義務付けています。

　　**使用済パソコンの回収・再資源化**については、**指定省資源化製品**及び**指定再資源化製品**に指定され、パソコン製造事業者に対し、省令によってリデュース・リユース・リサイクルに配慮した設計・構造の工夫が規定されています。重量1kgを超えるパソコンで生産・販売台数が年間1万台以上の製造事業者及び輸入販売事業者に対して、自主回収・再資源化に関する規定が

定められています。

### ③ 容器包装リサイクル法※

　2000（平成12）年に完全施行された「**容器包装リサイクル法**」は、**容器包装廃棄物**について、消費者による分別排出、市町村による分別収集及び事業者による**再商品化を促進すること**を目的としています。法では、特定事業者に

　①**ガラス製容器**
　②**ペットボトル**
　③**プラスチック製容器**
　④**紙製容器包装**

の4品目の再商品化を義務付け、その再商品化義務の履行方法については、①自主回収ルート、②指定法人ルート、③独自ルートの3通りから選択できるようになっています。

　特定事業者には、自らが排出する容器と包装の量、すなわち、①前年度販売した商品に利用した容器包装の量、②そのうち、自ら又は委託により回収した量、③事業活動により消費された容器包装の種類ごとの量を的確に把握するために帳簿作成の義務が課されています。

　2006（平成18）年の法改正により、①容器包装廃棄物の発生抑制の推進（消費者の意識向上・事業者との連携の促進として容器包装廃棄物排出抑制推進員制度の創設、事業者に対する排出抑制を推進するための措置の導入）、②質の高い分別収集・再商品化の推進（事業者が市町村に資金を拠出する仕組みの創設）、③事業者間の公平性の確保（ただ乗り事業者に対する罰則の強化）、④容器包装廃棄物の円滑な再商品化（円滑な再商品化に向けた国の方針の明確化）が図られています。

### ④ 家電リサイクル法※・小型家電リサイクル法※

　家電リサイクル法は、**特定家庭用機器**※の小売業者や製造業者等による特定家庭用機器廃棄物の収集、運搬や再商品化を適

※：容器包装リサイクル法
正式名称：容器包装に係る分別収集及び再商品化の促進等に関する法律（平成7年6月16日法律第112号）

※：家電リサイクル法
正式名称：特定家庭用機器再商品化法（平成10年6月5日法律第97号）

※：小型家電リサイクル法
正式名称：使用済小型電子機器等の再資源化の促進に関する法律（平成24年8月10日法律第57号）

※：「特定家庭用機器」（特定家庭用機器再商品化法第2条第4項）
一般消費者が通常生活の用に供する電気機械器具その他の機械器具であって、政令で定めるもの。

第1章
第2章
第3章
第4章
第5章
第6章
第7章

正かつ円滑に実施するための措置を講ずることにより、廃棄物の減量及び再生資源の十分な利用等を通じて、廃棄物の適正な処理及び資源の有効な利用の確保をはかり、もって生活環境の保全及び国民経済の健全な発展に寄与すること目的として（法第1条）2001（平成13）年に施行されました。

現在、**特定家庭用機器**としては、

- ①**ユニット形エアコンディショナー**（ウインド形エアコンディショナー又は室内ユニットが壁掛け形若しくは床置き形であるセパレート形エアコンディショナーに限る）
- ②**テレビジョン受信機**（ブラウン管式のもの。液晶式のもの（電源として一次電池又は蓄電池を使用しないものに限り、建築物に組み込むことができるように設計したものを除く）及びプラズマ式のもの）
- ③**電気冷蔵庫及び電気冷凍庫**
- ④**電気洗濯機及び衣類乾燥機**

などの4機器が指定されています。

　なお、2012年（平成24）年8月、**使用済小型電子機器等の再資源化の促進に関する法律**が制定されました。「小型電子機器等」とは、一般消費者が通常生活の用に供する電子機器その他の電気機械器具であって、①廃棄物となった場合において、その効率的な収集及び運搬が可能であると認められるもの、②当該電気機械器具が廃棄物となった場合におけるその再資源化が廃棄物の適正な処理及び資源の有効な利用を図る上で特に必要なもののうち、当該再資源化に係る経済性の面における制約が著しくないと認められるもの、と定義され（法第2条第2項）、**電話機、ファクシミリ、携帯電話端末等**の28の電気機械器具が指定されています（法施行令第1条）。

※：建設リサイクル法
正式名称：建設工事に係る資材の再資源化等に関する法律（平成12年5月31日法律第104号）

## 5 建設リサイクル法※

　建設リサイクル法は、建築物の解体工事などの発注者に対して都道府県知事への届出を義務付け、また、建築物の解体工事

などの受注者に対して、

　①**特定建設資材（コンクリート、木材、アスファルトコンク　　リート）の分別解体等**（基準に従い、廃棄物を分別し解体す　　る）

　②**特定建設資材の再資源化等**（処理業者への委託も可）

を義務付けるもので、2000（平成12）年に制定されました。

　建設資材のうち、廃棄物になった場合、再資源化が特に必要で、経済性の制約が著しくないと認められるものを「**特定建設資材廃棄物**」として政令で定めていて、現在は

　①**コンクリート**

　②**コンクリート及び鉄からなる建設資材**

　③**木材**

　④**アスファルト・コンクリート**※

が指定されています。

　この法律は廃棄物処理法の下位法として位置付けられているので、有価物は法の規制対象外としてリユースされ、無価物のみのリサイクルを前提としています。

## 🄖 食品リサイクル法※

　食品リサイクル法は、食品廃棄物等の排出の抑制を図るために、①食品循環資源の再生利用等にかかわる各主体の責務、②食品関連事業者の基準に基づく再生利用等の実施を内容とするもので、2000（平成12）年に制定されました。この法律では、**食品**とは**飲食料品のうち薬事法の医薬品等以外のもの**をいい、それらが廃棄されるか、又は食品の製造・加工・調理の過程において副次的に得られた物品のうち食用に供することができないものを**食品廃棄物等**とし、そのうち有用なものを**食品循環資源**と定義しています。（法第2条）

　食品関連事業者は、主務大臣が定める再生利用等の基準に従って再生利用等に取り組むものとし、主務大臣はこの基準に基づき、食品関連事業者に対して指導、助言、勧告及び命令を

※：アスファルトコンクリート
高温に熱したアスファルトと砂・砂利・砕石などの骨材を混合したもの。道路舗装に用いる。（アスファルト：原油に含まれる炭化水素類の中で最も重質のもの。）

※：食品リサイクル法
正式名称：食品循環資源の再生利用等の促進に関する法律（平成12年6月7日法律第116号）

第1章
第2章
第3章
第4章
第5章
第6章
第7章

行うことができます。（法第8条、法第9条）

　2007（平成19）年の改正法により、食品関連事業者に対する指導強化として、食品廃棄物の発生量が一定規模以上の食品関連事業者に対し、食品廃棄物等の発生量及び再生利用の状況に関する定期報告を義務付けるとともにフランチャイズチェーン※事業を展開する一定の要件を満たす食品関連事業者についても加盟者の食品廃棄物等の発生量の報告を求め、一体として勧告等の対象とすることになりました。

## 7 グリーン購入法※

　**グリーン購入**とは市場に供給される製品、サービスの中から環境への負荷が少ないものを優先的に購入することを意味します。環境物品の優先的購入がこれらの物品等の市場の形成や開発の促進に寄与し、それがさらなる環境物品の購入を促すという継続的改善を伴う市場への波及効果を意図しています。グリーン購入法は、2000（平成12）年に制定されました。

　グリーン購入法では、需要面から循環型社会の形成に資するものとして、国が定める基本方針に即して、毎年度、国の機関ごとに「環境物品等の調達の推進を図るための調達方針」を作成・公表し、具体的目標を定めて、再生品などの環境物品等の調達を推進し、その年度の実績公表し、環境大臣に通知します。

　地方公共団体には、環境物品の調達の努力義務、国民にはできる限りの環境物品の選択を責務として定めています。すなわち、グリーン購入法は、**国の機関と地方公共団体に義務を課した法律**です。

## 8 自動車リサイクル法※

　自動車リサイクル法は、製品別リサイクル法のひとつとして、自動車の処理に伴って排出される**シュレッダーダスト**や**フロン類**、**エアバッグ類**への対応を行うために2002（平成14）年に制定されました。この法では、拡大生産者責任※の原則の下で、

---

※：フランチャイズチェーン
主宰者（フランチャイザー）が加盟店（フランチャイジー）に対し、商標利用権、一定地域内の独占的販売権、経営指導等を提供し、その見返りに特約料を徴収するチェーン組織。

※：グリーン購入法
正式名称：国等による環境物品等の調達の推進等に関する法律（平成12年5月31日法律第100号）

※：自動車リサイクル法
正式名称：使用済自動車の再資源化等に関する法律（平成14年7月12日法律第87号）

※：拡大生産者責任
生産者が、その生産した製品が使用され、廃棄された後においても、当該製品の適正なリサイクルや処分について一定の責任を負うという考え方。

自動車製造業者の役割と責任を明確化し、長期使用に耐えるリサイクルに適した製品づくりを目標にしています。また、使用済自動車から生じる最終埋立処分量※の極小化を図り、不法投棄の防止に資する仕組みになっています。この法律により**使用済みとなった自動車**は、その金銭的価値の有無にかかわらず**すべて廃棄物**として扱われます。

### 9 廃棄物処理法※

　1970（昭和45）年のいわゆる公害国会で、清掃法を改正し**廃棄物処理法**が制定されました。この法律では、生活環境の保全を目的に加え、廃棄物を**一般廃棄物**と**産業廃棄物**とに区分し、汚染者負担の原則に基づき、**事業活動に伴って発生する廃棄物は事業者が処理責任を有する**という事業者責任の考え方が導入されました。また、家庭から出る**一般廃棄物は従前どおり市町村が処理義務を負う**こととされています。

　1976年には江戸川区の六価クロム問題を契機として廃棄物処理法が改正され、措置命令規定、処理業の委託基準の設定や最終処分場の届出制の創設などの規制の強化が図られました。その後も、**安定型**※、**管理型**※、**遮断型**※の廃棄物処分場の構造・維持管理基準の設定、**廃棄物処理業の許可要件**の強化、**廃棄物処理施設の設置許可制**の導入、多量排出事業者への処理計画策定の仕組みの導入、**マニフェスト制度**※の導入、罰則の強化、不法投棄・不法焼却未遂罪の導入など次々と規制が強化されています。

### 10 バーゼル法※

　**バーゼル法**は、1992（平成4）年5月に発効した「有害廃棄物の国境を越える移動及びその処分の規制に関するバーゼル条約」（バーゼル条約）の国内法として同年制定されました。この法律は、バーゼル条約の的確かつ円滑な実施を確保するため、特定有害物質等の輸出、輸入、運搬及び処分に関する規制措置

---

※：**最終埋立処分量**
収集・運搬された後に焼却などの中間処理を経て埋立処理された量。

※：**廃棄物処理法**
正式名称：廃棄物の処理及び清掃に関する法律（昭和45年12月25日法律第137号）

※：**安定型処分場**
環境に影響を与えない安定5品目（廃プラスチック類・金属くず・ガラス陶磁器くず・ゴムくず・がれき類）だけを埋め立てる。このため、地下水への浸透を防ぐ遮水工や、公共水域への浸出水を処理する浸出水処理施設がない。

※：**管理型処分場**
埋立処分場の底と側面をゴムシート等による遮水構造とし、降雨等の浸透水は底の集水管で集めて排水処理施設等で処理後放流する。

※：**遮断型処分場**
有害物質が基準を超えて含まれる廃棄物の処分場。コンクリート製の箱の中に保管し、処分全体に屋根を設置するなどして、有害物質を含む水の発生・流出防止対策を施した処分場。

※：**マニフェスト制度**
産業廃棄物管理票（マニフェスト伝票）を用いて、最終処分までの廃棄物処理の流れを確認できるようにした、不法投棄などを未然に防ぐための制度。

※：バーゼル法
正式名称：特定有害廃
棄物の輸出入等の規
制に関する法律（平成
4年12月16日法律第
108号）

を講じ、人の健康の保護及び生活環境の保全に資することを目
的としています。

　規制の対象は**特定有害物質等**であり、これには廃棄物だけで
なくリサイクルを目的とした有価物も含まれています。

> ☑ ポイント
>
> ①循環基本法の特徴として、排出者責任と拡大生産者責任が規定さ
> 　れている。
> ②循環基本法では、廃棄物等の発生抑制、再使用、再生利用、熱回収、
> 　適正処理の優先順位が法定化されている。
> ③個別リサイクル法で規定されるリサイクル対象物、廃棄物処理法
> 　の概要を覚えておく。

# 2-4 環境影響評価法

環境影響評価法は、公共事業に係る環境保全のために実施する「環境影響評価」について定めた法律です。手続きの流れを理解しておきましょう。

## 1 環境影響評価の制度

1997（平成9）年に「**環境影響評価法**」（**アセスメント法**）が制定され、1999（平成11）年から全面施行されています。アセスメント法は、従来の閣議アセスメントと同様に事業計画段階でアセスメントを行うものです。

### ◉手続きの流れ

アセスメント法の制度的手続きを、対象となる事業計画の各段階、すなわち、①事業計画の構想、②事業計画の具体化、③事業実施計画の準備、④事業実施計画の決定、⑤事業の施工・実施、⑥事業の供用開始といった側面からみると、②・③の段階で**スクリーニング**※手続きと**スコーピング**※手続き、③・④の段階で環境影響評価の手続き、④の段階で横断条項による法の担保があり、⑤・⑥の段階にフォローアップ手続きが導入されています。

### ◉対象事業

アセスメント法の対象事業は、
①無条件にアセスメント手続きを実施する**第1種事業**（法第2条第2項）
②個別の事業や地域の違いを踏まえて、**スクリーニング手続き**によってふるい分けを行う**第2種事業**（法第2条第3項）
とに分けられます。

※：スクリーニング
環境アセスメントの実施の要否の判断を行うこと。環境影響評価法では第2種事業に対して、スクリーニングが実施される。

※：スコーピング
環境アセスメントにおける検討範囲、調査方法、結果の評価方法を決めること。

第1種事業とは、「規模が大きく、環境影響の程度が著しいものとなるおそれがあるものとして政令で定めるもの」をいい、第2種事業とは「第1種事業に準ずる規模を有するもの」で同じく政令で定められています。

　スクリーニング手続き導入のメリットは、規模要件によっては「アセスメント逃れ」を防止できることにあります。スクリーニングに際しては、都道府県知事の意見は聴くが、市町村及び住民の意見は聴かないとされています。

●方法書・配慮書の作成

　環境影響評価を実施することになった場合、事業者は、対象事業に係る環境影響評価項目並びに調査、予測及び評価手法等について**環境影響評価方法書**を作成します。これはいわばアセスメントの実施計画書ですが、**検討範囲を絞り込む**ために**スコーピング手続き**が導入されています。2011（平成23）年の法改正において、事業に係る環境の保全について適正な配慮がなされるためには、可能な限り早期の段階において、環境の保全の見地から検討を加え事業に反映していくことが望ましいことから、方法書の作成前の手続きとして「**配慮書**」作成の手続きが創設されました。これは、対象事業に関する位置・規模や施設の配置・構造等の計画の立案段階において、環境の保全のために配慮すべき事項（計画段階配慮事項）について検討し、その検討の結果についてまとめた配慮書を作成する手続きです。

●準備書・評価書の作成と審査

　最後は準備書・評価書の作成から審査の段階です。許認可等権者は対象事業の許認可等の審査に際し、評価書及び評価書に対して述べられた意見に基づき、対象事業の環境の保全について適正な配慮がなされるものであるかどうか審査し（法第33条）、環境保全についての審査の結果と許認可等の審査結果と併せて判断し、許認可等を拒否したり、条件を付けることがで

きるようになっています。この仕組みは**横断条項**と呼ばれています。

> **☑ ポイント**
>
> ①第1種事業は必ず環境影響評価をしなければならない事業、第2種事業は環境影響評価を実施するかどうかを知事が判断するという違いをしっかり記憶する。
>
> ②環境影響評価の手続きとして、「配慮書」の作成後、都道府県知事の承認を得て「方法書」を作成する（方法書作成の前に配慮書を作成）という順番をしっかり記憶する。
>
> ③スクリーニングとスコーピングの意味を正しく記憶する。
>
> ④環境影響評価結果の信頼性を担保する横断条項の内容を理解し記憶しておく。

第1章
第2章
第3章
第4章
第5章
第6章
第7章

# 第 **3** 章

# 環境基本法

## 3-1 環境基本法の出題

国家試験では、環境基本法の条文を正しく記憶しているかを問う問題が毎年2題出題されています。ここでは過去に繰り返し出題された条文を中心に解説します。

### 1 環境基本法の体系

環境基本法は、我が国の環境政策の理念と基本的な政策の方向を明らかにし、総合的、計画的な環境施策の展開の枠組みを定めた法律です。

### ●第1章 総則

環境の保全についての**基本理念**として、①環境の恵沢の享受と継承等、②環境への負荷の少ない持続的発展が可能な社会の構築等及び③国際的協調による地球環境保全の積極的推進という3つの理念を定めるとともに、国、地方公共団体、事業者及び国民の環境の保全に係る責務※を明らかにしています。

※：責務
義務は違反すると罰則が適用されるが、責務は「努力義務」で罰則はない。

### ●第2章 環境の保全に関する基本施策

環境の保全に関する施策に関し、まず、施策の策定及び実施に係る指針を示し、また、**環境基本計画**を定めて施策の大綱を定めるとともに、**環境基準、公害防止計画、国等の施策における環境配慮、環境影響評価の推進**、環境の保全上の支障を防止するための規制の措置、経済的助成又は経済的負担、環境の保全に関する施設の整備、環境への負荷の低減に資する製品等の利用の促進、環境教育、民間の自発的な活動の促進、科学技術の振興、地球環境保全等に関する国際協力、費用負担及び財政措置など基本的な施策について規定しています。

●第3章　環境の保全に関する審議会その他の合議制の機関等

　中央環境審議会の設置、都道府県及び市町村における合議制機関の設置、公害対策会議の設置について規定しています。

## 2 記憶しておくべき条文

　国家試験では、「**環境基本法**」の**条文**がそのまま出題されます。以前は語句の正誤を問う単純な問題の出題でしたが、最近の出題傾向は、正しい（誤った）語句の個数や正しい（誤った）語句の組合せなど、条文を丸暗記していないと正解が見つからない問題がよく出題されるようになっています。全条文を丸暗記する必要はありません（無理です）が、以下の条文については**丸暗記**しておいてください。特に下線を引いた語句は重要です。

（目的）
第1条　この法律は、環境の保全について、基本理念を定め、並びに国、地方公共団体、事業者及び国民の責務を明らかにするとともに、環境の保全に関する施策の基本となる事項を定めることにより、環境の保全に関する施策を総合的かつ計画的に推進し、もって現在及び将来の国民の健康で文化的な生活の確保に寄与するとともに人類の福祉に貢献することを目的とする。

（定義）
第2条　この法律において「環境への負荷」とは、人の活動により環境に加えられる影響であって、環境の保全上の支障の原因となるおそれのあるものをいう。

2　この法律において「地球環境保全」とは、人の活動による地球全体の温暖化又はオゾン層の破壊の進行、海洋の汚染、野生生物の種の減少その他の地球の全体又はその広範な部分の環境に影響を及ぼす事態に係る環境の保全であって、人類の福祉に貢献するとともに国民の健康で文化的な生活の確保に寄与するものをいう。

3　この法律において「公害※」とは、環境の保全上の支障のうち、事業活動その他の人の活動に伴って生ずる相当範囲にわたる大気の汚染、水質の汚濁（水質以外の水の状態又は水底の底質が悪化することを含む。第21条第1項第1号において同じ。）、土壌の汚染、騒音、振動、地盤の沈下（鉱物の掘採のための土地の掘削によるものを除く。以下同じ。）及び悪臭によって、人の健康又は生活環境（人の生活に密接な関係のある財産並びに人の生活に密接な関係のある動植物及びその生育環境を含む。以下同じ。）に係る被害が生ずることをいう。

※：公害
典型七公害：大気汚染、水質汚濁、騒音、振動、地盤沈下、悪臭、土壌汚染

(環境の恵沢の享受と継承等)

第3条 環境の保全は、環境を健全で恵み豊かなものとして維持することが人間の健康で文化的な生活に欠くことのできないものであること及び生態系が微妙な均衡を保つことによって成り立っており人類の存続の基盤である限りある環境が、人間の活動による環境への負荷によって損なわれるおそれが生じてきていることにかんがみ、現在及び将来の世代の人間が健全で恵み豊かな環境の恵沢を享受するとともに、人類の存続の基盤である環境が将来にわたって維持されるように適切に行われなければならない。

(環境への負荷の少ない持続的発展が可能な社会の構築等)

第4条 環境の保全は、社会経済活動その他の活動による環境への負荷をできる限り低減することその他の環境の保全に関する行動がすべての者の公平な役割分担の下に自主的かつ積極的に行われるようになることによって、健全で恵み豊かな環境を維持しつつ、環境への負荷の少ない健全な経済の発展を図りながら持続的に発展することができる社会が構築されることを旨とし、及び科学的知見の充実の下に環境の保全上の支障が未然に防がれることを旨として、行われなければならない。

(国際的協調による地球環境保全の積極的推進)

第5条 地球環境保全が人類共通の課題であるとともに国民の健康で文化的な生活を将来にわたって確保する上での課題であること及び我が国の経済社会が国際的な密接な相互依存関係の中で営まれていることにかんがみ、地球環境保全は、我が国の能力を生かして、及び国際社会において我が国の占める地位に応じて、国際的協調の下に積極的に推進されなければならない。

(事業者の責務)

第8条 事業者は、基本理念にのっとり、その事業活動を行うに当たっては、これに伴って生ずるばい煙、汚水、廃棄物等の処理その他の公害を防止し、又は自然環境を適正に保全するために必要な措置を講ずる責務を有する。

2 事業者は、基本理念にのっとり、環境の保全上の支障を防止するため、物の製造、加工又は販売その他の事業活動を行うに当たって、その事業活動に係る製品その他の物が廃棄物となった場合にその適正な処理が図られることとなるように必要な措置を講ずる責務を有する。

3 前2項に定めるもののほか、事業者は、基本理念にのっとり、環境の保全上の支障を防止するため、物の製造、加工又は販売その他の事業活動を行うに当たって、その事業活動に係る製品その他の物が使用され又は廃棄されることによる環境への負荷の低減に資するように努めるとともに、その事業活動において、再生資源その他の環境への負荷の低減に資する原材料、役務等を利用するように努め

なければならない。

4 前3項に定めるもののほか、事業者は、基本理念にのっとり、その事業活動に関し、これに伴う環境への負荷の低減その他環境の保全に自ら努めるとともに、国又は地方公共団体が実施する環境の保全に関する施策に協力する責務を有する。

（国民の責務）

第9条 国民は、基本理念にのっとり、環境の保全上の支障を防止するため、その日常生活に伴う環境への負荷の低減に努めなければならない。

2 前項に定めるもののほか、国民は、基本理念にのっとり、環境の保全に自ら努めるとともに、国又は地方公共団体が実施する環境の保全に関する施策に協力する責務を有する。

（環境基準）

第16条 政府は、大気の汚染、水質の汚濁、土壌の汚染及び騒音に係る環境上の条件について、それぞれ、人の健康を保護し、及び生活環境を保全する上で維持されることが望ましい基準を定めるものとする。

2 前項の基準が、2以上の類型を設け、かつ、それぞれの類型を当てはめる地域又は水域を指定すべきものとして定められる場合には、その地域又は水域の指定に関する事務は、次の各号に掲げる地域又は水域の区分に応じ、当該各号に定める者が行うものとする。

一 2以上の都道府県の区域にわたる地域又は水域であって政令で定めるもの 政府

二 前号に掲げる地域又は水域以外の地域又は水域 次のイ又はロに掲げる地域又は水域の区分に応じ、当該イ又はロに定める者

イ 騒音に係る基準（航空機の騒音に係る基準及び新幹線鉄道の列車の騒音に係る基準を除く。）の類型を当てはめる地域であって市に属するもの その地域が属する市の長

ロ イに掲げる地域以外の地域又は水域 その地域又は水域が属する都道府県の知事

3 第1項の基準については、常に適切な科学的判断が加えられ、必要な改定がなされなければならない。

4 政府は、この章に定める施策であって公害の防止に関係するもの（以下「公害の防止に関する施策」という。）を総合的かつ有効適切に講ずることにより、第1項の基準が確保されるように努めなければならない。

（環境影響評価の推進）

第20条 国は、土地の形状の変更、工作物の新設その他これらに類する事業を行う事業者が、その事業の実施に当たりあらかじめその事業に係る環境への影響について自ら適正に調査、予測又は評価を行い、その結果に基づき、その事業に係る環境の保全について適正に

配慮することを推進するため、必要な措置を講ずるものとする。

（環境の保全上の支障を防止するための経済的措置）

第22条　国は、環境への負荷を生じさせる活動又は生じさせる原因となる活動（以下この条において「負荷活動」という。）を行う者がその負荷活動に係る環境への負荷の低減のための施設の整備その他の適切な措置をとることを助長することにより環境の保全上の支障を防止するため、その負荷活動を行う者にその者の経済的な状況等を勘案しつつ必要かつ適正な経済的な助成を行うために必要な措置を講ずるように努めるものとする。

2　国は、負荷活動を行う者に対し適正かつ公平な経済的な負担を課すことによりその者が自らその負荷活動に係る環境への負荷の低減に努めることとなるように誘導することを目的とする施策が、環境の保全上の支障を防止するための有効性を期待され、国際的にも推奨されていることにかんがみ、その施策に関し、これに係る措置を講じた場合における環境の保全上の支障の防止に係る効果、我が国の経済に与える影響等を適切に調査し及び研究するとともに、その措置を講ずる必要がある場合には、その措置に係る施策を活用して環境の保全上の支障を防止することについて国民の理解と協力を得るように努めるものとする。この場合において、その措置が地球環境保全のための施策に係るものであるときは、その効果が適切に確保されるようにするため、国際的な連携に配慮するものとする。

（原因者負担）

第37条　国及び地方公共団体は、公害又は自然環境の保全上の支障（以下この条において「公害等に係る支障」という。）を防止するために国若しくは地方公共団体又はこれらに準ずる者（以下この条において「公的事業主体」という。）により実施されることが公害等に係る支障の迅速な防止の必要性、事業の規模その他の事情を勘案して必要かつ適切であると認められる事業が公的事業主体により実施される場合において、その事業の必要を生じさせた者の活動により生ずる公害等に係る支障の程度及びその活動がその公害等に係る支障の原因となると認められる程度を勘案してその事業の必要を生じさせた者にその事業の実施に要する費用を負担させることが適当であると認められるものについて、その事業の必要を生じさせた者にその事業の必要を生じさせた限度においてその事業の実施に要する費用の全部又は一部を適正かつ公平に負担させるために必要な措置を講ずるものとする。

（受益者負担）

第38条　国及び地方公共団体は、自然環境を保全することが特に必要な区域における自然環境の保全のための事業の実施により著しく利益を受ける者がある場合において、その者にその受益の限度においてその事業の実施に要する費用の全部又は一部を適正かつ公平に負

担させるために必要な措置を講ずるものとする。

### ポイント

「環境基本法」の条文では、
① 「第1条」の目的
② 「第2条」の「環境への負荷」「地球環境保全」「公害」の定義
③ 「第3条」「第4条」「第5条」の基本理念に関する事項
④ 「第8条」の事業者の責務
⑤ 「第9条」の国民の責務
⑥ 「第16条」の環境基準
の出題頻度が特に高い。また、「第20条」の環境影響評価、「第22条」の経済的措置、「第37条」の原因者負担、「第38条」の受益者負担の条文についてもよく出題されている。

# 練習問題

問1　環境基本法に規定する定義に関する記述中，下線を付した箇所のうち，誤っているものはどれか。

　この法律において「公害」とは，環境の保全上の支障のうち，事業活動その他の
(1)
人の活動に伴って生ずる相当範囲にわたる大気の汚染，水質の汚濁(水質以外の
(2)
水の状態又は水底の底質が悪化することを含む。第21条第1項第1号において
同じ。)，土壌の汚染，騒音，振動，地盤の沈下(鉱物の掘採のための土地の掘削
(3)
によるものを除く。以下同じ。)及び悪臭によって，人の健康又は生活環境(人の
(4)
生活に密接な関係のある財産並びに人の生活に密接な関係のある動植物及びその
生育環境を含む。以下同じ。)に係る支障が生ずることをいう。
(5)

**解　説**

　環境基本法第2条第3項に規定する「公害」の定義に関する出題です。下線を引いてある条文の語句が、読んでも違和感がない別の語句に代えられているので、正確に覚えていないと正解を見つけられません。本問は、下線(5)の「支障が生ずること」が誤りで、正しくは「被害が生ずること」です。

正解 ≫ （5）

# 練習問題

平成28・問1

問1　環境基本法の定義に関する記述中，下線部分( a ～ j )の用語の組合せとして，誤っているものはどれか。

1　この法律において「環境への負荷」とは，人の活動により地球に加えられる影
　(a)　　　　　　　　　　　　　　　　　　　　　　　　(b)
　響であって，環境の保全上の支障の原因となるおそれのあるものをいう。
　　　　　　　　　　(c)

2　この法律において「持続的発展」とは，人の活動による地球全体の温暖化又は
　　　　　　　　　　　(d)　　　　　　　　　　　　　　　　　　　　　　(e)
　オゾン層の破壊の進行，海洋の汚染，野生生物の種の減少その他の地球の全体
　　　　　　(f)　　　　　　　　　　　　　　　　　(g)　　　　　　　　　　(h)
　又はその広範な部分の環境に影響を及ぼす事態に係る環境の保全であって，人
　　　　　(i)　　　　　　　　　　　　　　　(j)
　類の福祉に貢献するとともに国民の健康で文化的な生活の確保に寄与するもの
　をいう。

(1)　a，c

(2)　b，d

(3)　e，g

(4)　f，h

(5)　i，j

**解 説**

前問と同様に環境基本法第2条第1項、第2項に規定する定義に関する出題ですが、誤っている語句を正しく2つ選ぶ問題で条文を丸暗記で正しく覚えていないと正解を見つけることができません。bの「地球」は正しくは「環境」で、dの「持続的発展」は正しくは「地球環境保全」ですが、さっと読んだだけでは誤りと気付きにくい用語に替えられています。過去問で繰り返し出題されている条文は丸暗記してください。

正解 >> （2）

# 練習問題

問3 環境基本法に規定する環境基準に関する記述中,下線部分（a～j）の用語の組合せのうち,誤りを含むものはどれか。

1 政府は,大気の汚染,水質の汚濁,<u>土壌の汚染</u>及び騒音に係る環境上の条件 (a) について,それぞれ,<u>人の健康</u>を保護し,及び<u>生活環境</u>を保全する上で維持さ (b) (c) れることが<u>望ましい</u>基準を定めるものとする。 (d)

2 前項の基準が,二以上の類型を設け,かつ,それぞれの類型を当てはめる地域又は水域を指定すべきものとして定められる場合には,その地域又は水域の指定に関する事務は,次の各号に掲げる地域又は水域の区分に応じ,当該各号に定める者が行うものとする。

一 二以上の都道府県の区域にわたる地域又は水域であって<u>政令</u>で定めるもの (e) <u>政府</u> (f)

二 前号に掲げる地域又は水域以外の地域又は水域 次のイ又はロに掲げる地域又は水域の区分に応じ,当該イ又はロに定める者

イ <u>騒音に係る基準（航空機の騒音に係る基準及び新幹線鉄道の列車の騒音 (g) に係る基準を除く。）</u>の類型を当てはめる地域であって市に属するもの <u>その地域が属する市の長</u> (h)

ロ イに掲げる地域以外の地域又は水域 <u>その地域又は水域が属する市の長</u> (i)

3 第1項の基準については,<u>常に適切な科学的判断が加えられ</u>,必要な改定が (j) なされなければならない。

(1) a,b

(2) c,d

(3) e,f

(4) g,h

(5) i,j

**解 説**

環境基本法第16条に定める環境基準については、地域を指定して適用される場合があります。本問は、国、都道府県知事、市長の誰が指定権限をもつのかを問う設問です。通常の問題は正しいもの又は誤ったものをひとつだけ見つければよいのですが、本問はひとつひとつの条文の正否を判断できないと正解にたどり着けません。

誤りは下線(i)の「その地域又は水域が属する市の長」で、正しくは「その地域又は水域が属する都道府県の知事」です。したがって、誤りを含むものは(5)となります。

正解 >> (5)

―――――――――

# 第4章

―――――――――

# 公害防止管理者法
## 特定工場における公害防止組織の整備に関する法律

4-1 公害防止管理者法の出題

## 4-1 公害防止管理者法の出題

　この法律についても毎年2題出題されていますが、難易度は環境基本法に比べて難しくありません。小問の文章、構成を一部変えて繰り返し出題されている例が多いので、よく出題されている箇所を中心に解説します。

### ❶ 法制定の背景

　1970（昭和45）年末のいわゆる「公害国会」で、大気汚染防止法をはじめとする公害規制法の整備により環境基準等が設定されました。しかし、規制の対象となる多くの工場には十分な公害防止体制が整備されていなかったことから、1971（昭和46）年に「**特定工場における公害防止組織の整備に関する法律**」（以下、「公害防止管理者法」という）が制定されました。

### ❷ 法の目的

　この法律は、公害の防止を目的として、特定の工場に、公害防止に関する専門的知識及び技能を有する**公害防止管理者**及びこれらの者を統括管理する**公害防止統括者**、並びに一定規模以上の工場に、公害防止管理者を指揮し公害防止統括者を補佐する**公害防止主任管理者**からなる**公害防止組織を設置すること**を義務付けています。

### ❸ 対象工場

　この法律で公害防止組織の設置が義務付けられている工場を「**特定工場**」といいます。特定工場とは、①製造業その他政令で定める業種に属し、かつ、②政令で指定する公害発生施設を設置する工場のうち、③政令で指定するものとなっています（法第2条）。

### 4 対象業種

製造業その他政令で定める業種とは、

**①製造業（物品の加工業を含む。）**

**②電気供給業**

**③ガス供給業**

**④熱供給業**

の4業種です（法施行令第1条）。したがって、例えば砂利採取業は鉱業であり、自動車整備業やドライクリーニング業はサービス業なので、いずれも法の対象にはなりません。ただし、ある工場が二つ以上の業種に属し、それらの業種の一部が対象業種である場合には、当該工場は法の適用対象になります。

### 5 対象施設

対象となる公害発生施設は、

**①ばい煙発生施設**　　**②汚水等排出施設**

**③騒音発生施設**　　　**④特定粉じん発生施設**

**⑤一般粉じん発生施設**　**⑥振動発生施設**

**⑦ダイオキシン類発生施設**

について、それぞれ数多くの施設が政令で指定されています（法施行令第2条～第5条の3）。

### 6 公害防止組織

公害防止組織は、**①公害防止統括者**（及びその代理者）、**②公害防止管理者**（及びその代理者）、**③公害防止主任管理者**（及びその代理者）で構成されます。

### ◉公害防止統括者

特定工場を設置している者（特定事業者）は、常時使用する従業員の数が**21人以上**※である場合には、**公害防止統括者**を選任しなければなりません（法第3条、法施行令第6条）。公害防止

**※：従業員数21人以上の判断方法**

特定工場で働く従業員数（派遣社員、パート等を含む。以下同じ。）だけでなく、当該特定工場を所有する企業の全従業員数で判断される。すなわち、当該特定工場の従業員数が15人であっても、別の場所にある工場や本社の従業員を加えて21人以上になる場合は、公害防止統括者及び代理者の選任が必要である。

統括者は、特定工場における公害の防止に関する最高の責任者ですが、**特に国家資格は要求されていません。**

## ◉公害防止統括者の選任・届出

特定事業者は、公害防止統括者を選任すべき事由が発生した日から**30日以内**に公害防止等統括者を選任し、選任した日から**30日以内**に都道府県知事に届け出なければなりません(法第3条、法施行規則第2条)。

## ◉公害防止管理者

特定事業者は、特定工場において公害防止に係る技術的な業務を管理する者として、**公害防止管理者**を選任しなければなりません。

## ◉公害防止管理者の選任・届出

特定事業者は、公害防止管理者を選任すべき事由が発生した日から**60日以内**※に一定の**有資格者**のうちから公害防止管理者を選任し、選任した日から**30日以内**に都道府県知事に届け出なければなりません(法第4条第3項、法施行規則第5条)

公害防止管理者については、政令で定める施設の区分ごとに一定の**有資格者の中から選任しなければなりません。**

## ◉公害防止管理者の兼務

原則として2以上の工場について同一の公害防止管理者を選任してはならないことになっています(法施行規則第5条第1項)。ただし、主務大臣が定める基準※を満たし、1人の公害防止管理者が2以上の工場の公害防止管理者となってもその職務を遂行するに当たって特に支障がないときは、選任ができることになっています。

最大5つの工場を兼務できます。

※:60日
公害防止管理者、公害防止主任管理者については有資格者を充てることとなっているため、選任までの猶予期間が60日以内と公害防止統括者の「30日以内」と比べて長くなっている。

※:主務大臣が定める基準
同一人を公害防止管理者として選任させようとする工場が、常時勤務する工場から2時間以内に到達できる場所にあること、選任に係る兼務工場の数が5以下であることなどが基準として定められている。

## ◉公害防止主任管理者

特定事業者は、特定工場が**ばい煙発生施設及び汚水等排出施設**を設置しており、**排ガス量が毎時4万m³以上**で、かつ、**排出水量が1日当たり1万m³以上**の場合は、公害防止統括者を補佐し、公害防止管理者を指揮するものとして**公害防止主任管理者**を選任しなければなりません（法第5条、法施行令第9条）。

## ◉公害防止主任管理者の選任・届出

選任及び届出の猶予期間は公害防止管理者と同様で、特定事業者は、公害防止主任管理者※を選任すべき事由が発生した日から**60日以内**に一定の**有資格者**のうちから公害防止主任管理者を選任し、選任した日から**30日以内**に都道府県知事に届け出なければなりません（法第5条第3項、法施行規則第8条）。

公害防止主任管理者の兼務は認められていません。

※：公害防止主任管理者の兼務
公害防止主任管理者の兼務は認められていない（法施行規則第8条第2号）。

## ◉代理者

特定事業者は、公害防止統括者、公害防止管理者又は公害防止主任管理者が旅行、疾病、事故等によってその職務を行うことができなくなる場合に備えて、**それぞれの代理者を選任しておかなければなりません**（法第6条第1項）。

代理者の選任及び届出の猶予期間、要求される資格は、それぞれ**公害防止統括者、公害防止管理者、公害防止主任管理者のものと同一**です。

## 7 公害防止管理者等の職務

## ◉公害防止統括者の職務

公害防止統括者の職務は、公害防止のために必要な業務が適切かつ円滑に実施されるように所要の措置を講じ、その実施状況を監督するなどして公害防止業務を統括管理することです（法第3条第1項、法施行規則第3条）。

第1章
第2章
第3章
第4章
第5章
第6章
第7章

## ●公害防止管理者の職務

公害防止管理者は、公害防止統括者の指揮統括の下で、例えば原材料に含まれる有害物質の検査、汚水処理施設の操作・点検・補修など、高度に専門的・技術的な公害防止業務※を行うことになります。

なお、公害防止管理者の職務として「改善」に係る業務は規定されていません。また、「補修」については、特定施設そのものについての「補修」は規定されていません。特定施設から排出されるばい煙の処理施設とそれに付属する施設あるいは汚水又は廃液の処理施設とそれに付属する施設について「補修」の業務が規定されています。

## ●公害防止主任管理者の職務

公害防止主任管理者は、当該特定工場からの公害を未然に防止するため、公害防止統括者を補佐し、ばい煙の処理等を担当する大気関係の公害防止管理者や汚水の処理等を担当する水質関係の公害防止管理者の業務が適正に遂行されるよう指揮・監督をします。

## ●公害防止管理者等の解任命令

都道府県知事は、公害防止統括者、公害防止主任管理者若しくは公害防止管理者又はこれらの代理者が、法令の規定等※に違反したときは、特定事業者に対し、公害防止統括者、公害防止主任管理者若しくは公害防止管理者又はこれらの代理者の**解任を命ずること**ができます（法第10条）。

都道府県知事等の解任命令により解任され、**その解任※の日から2年を経過していない者**は、公害防止統括者、公害防止管理者及び公害防止主任管理者並びにこれらの代理者になることができません（法第7条第2項）。

※：技術的な公害防止業務
大気概論、水質概論、騒音・振動概論などそれぞれの区分の概論では、公害防止管理者の職務として定められる技術的事項について詳しく問われる。騒音・振動以外は、施設等の「改善」が公害防止管理者の職務に挙げられていないことを記憶しておきたい。騒音・振動では騒音（振動）発生施設の配置や操作の「改善」が技術的事項として挙げられている。

※：法令の規定
ここで定められている法令は、公害防止管理者法、大気汚染防止法、水質汚濁防止法、騒音規制法、振動規制法、ダイオキシン類対策特別措置法などの法律に基づく命令の規定である。

※：解任
2年が経過しないと選任はできないが、公害防止管理者等の資格が剥奪されるわけではない。

## **8** 罰則

法律に定める規定に違反した者には罰則が科されます（法第16条・法第17条）。主な罰則は次のとおりです。

### ◉50万円以下の罰金

①公害防止統括者等<sup>※</sup>の選任をしなかった者
②公害防止統括者等の解任命令に違反した者

### ◉20万円以下の罰金

①公害防止統括者等の選任・死亡・解任の届出をせず、又は虚偽の届出をした者
②都道府県知事により求められた公害防止統括者等の職務の実施状況の報告をせず、若しくは虚偽の報告をし、検査を拒み、妨げ、若しくは忌避した者

※：公害防止統括者等
「公害防止統括者等」には、①公害防止統括者、②公害防止管理者、③公害防止主任管理者、④これらの代理者のすべてが含まれる。

> ☑ ポイント
>
> ①法律の目的を理解する。
> ②特定工場となる対象業種、対象施設を覚える。
> ③公害防止組織は、公害防止統括者、公害防止主任管理者、公害防止管理者（及びそれぞれの代理者）で構成される。
> ④公害防止統括者等の資格の要否を覚える。
> ⑤公害防止統括者等の選任・届出の期間を覚える。
> ⑥公害防止統括者等は解任されると2年間は選任できない。

# 練習問題

問5　特定工場における公害防止組織の整備に関する法律に規定する「特定工場」の対
象業種でないものはどれか。
- (1)　製造業(物品の加工業を含む。)
- (2)　電気供給業
- (3)　ガス供給業
- (4)　熱供給業
- (5)　水道業

**| 解　説 ▶**

　本問は過去繰り返し出題されている問題です。特定工場における公害防止組織の
整備に関する法律第2条を受けて、法施行令第1条に次のように対象業種が規定さ
れています。
　①製造業(物品の加工業を含む。)
　②電気供給業
　③ガス供給業
　④熱供給業
　したがって、(5)の水道業は対象業種ではありません。

正解 >> (5)

# 練習問題

問4　特定工場における公害防止組織の整備に関する法律に規定する特定工場に該当
しない施設はどれか。
  (1)　悪臭発生施設
  (2)　振動発生施設
  (3)　騒音発生施設
  (4)　ダイオキシン類発生施設
  (5)　一般粉じん発生施設

## 解　説

　特定工場における公害防止組織の整備に関する法律第2条に規定する「特定工場」
への該否についての基本的な問題です。特定工場とは、対象業種に該当し①ばい煙
発生施設、②汚水等排出施設、③騒音発生施設、④特定粉じん発生施設、⑤一般粉
じん発生施設、⑥振動発生施設、⑦ダイオキシン類発生施設の7施設のいずれかに
該当する施設を有する工場、事業場です。したがって、(1)の悪臭発生施設は該当
しません。

## POINT

　なお、大気概論や水質概論などそれぞれの概論では、公害発生施設に該当する設
備名と設備能力を問う問題や、大気及び水質関係の公害防止管理者の場合は、設備
と設備規模に応じて選任に必要な資格条件(第1種〜第4種公害防止管理者)とを組
み合わせた問題が出題されています。

正解 >> （1）

# 練習問題

問4　特定工場における公害防止組織の整備に関する法律に関する記述として，誤っているものはどれか。

(1)　特定工場を設置している特定事業者は，公害防止に関する業務を統括管理する公害防止統括者を選任しなければならない。ただし，常時使用する従業員の数が20人以下である特定事業者は，公害防止統括者を選任する必要はない。

(2)　公害防止主任管理者を選任しなければならない特定工場は，ばい煙発生施設及び汚水等排出施設が設置されている工場で排出ガス量が1時間当たり4万立方メートル以上であり，かつ，排出水量が1日当たり1万立方メートル以上である。ただし，当該工場においてばい煙並びに汚水及び廃液の処理を確実に行うことができるものとして主務省令で定める要件に該当する場合は除かれている。

(3)　特定事業者は，公害防止統括者，公害防止管理者又は公害防止主任管理者が旅行，疾病その他の事故によってその職務を行うことができない場合にその職務を行う代理者を選任しなければならない。

(4)　届出をした特定事業者について相続又は合併があったときは，相続人又は合併後存続する法人若しくは合併により設立した法人が，届出をした特定事業者の地位を承継する。その地位を承継した者は，遅滞なく，その事実を証明する書面を添えて，その旨を当該特定工場の所在地を所管する都道府県知事に届け出なければならない。

(5)　公害防止統括者，公害防止管理者及び公害防止主任管理者並びにこれらの代理者は，都道府県知事の解任命令により解任されたときは，その解任の日から3年を経過しない者は，公害防止統括者，公害防止管理者及び公害防止主任管理者並びにこれらの代理者になることができない。

**解説**

法第10条で、都道府県知事は公害防止統括者、公害防止主任管理者、公害防止管理者及びそれぞれの代理者について、法違反があった場合や命令違反があった場合には、特定事業者に公害防止管理者等の「解任」を命ずることができるとあります（公害防止管理者、公害防止主任管理者の資格は取り上げられません）。

そして、法第7条第2項で、「第10条の規定による命令により解任され、その解任

の日から2年を経過しない者は、公害防止統括者、公害防止管理者、公害防止主任
管理者並びにこれらの代理者になることができない。」とあります。したがって、(5)
の「3年」は誤りです。

正解 >> （5）

# 第 5 章

# 最近の環境問題

## 5-1 地球環境問題の概要

地球環境問題としてオゾン層破壊と地球温暖化問題について解説します。オゾン層破壊物質や温室効果ガス、その対策の取組みについて理解しておきましょう。

### 1 成層圏オゾン層の破壊

#### ●オゾン層の破壊

成層圏では太陽から強い紫外線を受けて酸素分子($O_2$)が解離して酸素原子(O)が生成します。このOは直ちに$O_2$と反応してオゾン($O_3$)が生成されますが、この$O_3$は紫外線を吸収して分解します。この二つの反応のバランスにより成層圏にオゾン層が形成されています。このバランスが崩れて$O_3$の分解量が増加すると成層圏での紫外線の吸収量が減り、紫外線の地上への到達量が増え、人の健康(皮膚がん、白内障など)や植物の成長に悪影響を与えます。

#### ●オゾン層破壊物質とオゾンホール

エアコンや冷凍・冷蔵庫の冷媒、半導体の洗浄剤、プラスチックの発泡剤などとして多様な用途をもつ**クロロフルオロカーボン**[※]**(CFC)**、**ハイドロクロロフルオロカーボン(HCFC)**や消火剤である**ハロン**[※]などが生産・使用され、これまでに大部分が大気中に放出されてきました。

これらフロン化合物等は、化学的に安定で対流圏では分解されずに成層圏に到達し、強い紫外線により分解されて塩素原子、臭素原子を放出します。そして**塩素原子**や**臭素原子**の作用により、大量のオゾンが連鎖的に分解されて成層圏のオゾン濃度が減少し、**オゾンホール**が出現します。**春(日本では秋)**に南極上空で発生するオゾンホールの規模は、1980年代から1990年代

---

**※:フルオロカーボン**
フルオロカーボン(炭素とふっ素の化合物)のことを一般的にフロンという。そのうち、塩素(クロロ)を含むクロロフルオロカーボン(CFC)とハイドロクロロフルオロカーボン(HCFC)がオゾン層破壊物質とされている。クロロは塩素、フルオロはふっ素、ハイドロは水素、カーボンは炭素を意味する。

**※:ハロン**
ハロンは、炭化水素の水素原子(一部又はすべて)がハロゲン原子で置換されたハロゲン化炭化水素(ハロカーボン)のうち、臭素を含むもの。

にかけて急激に増加しましたが、1989年のモントリール議定書の発効以降、フロン化合物の規制強化により大気中のフロン化合物の濃度は減少傾向にあり、オゾンホールの増加傾向はみられなくなっています。図1にオゾンホールの変化を示します。

図1　オゾンホールの変化

資料：気象庁「南極オゾンホールの年最大面積の経年変化」より環境省作成
［環境省：令和5年版環境白書・循環型社会白書・生物多様性白書］

---

**☑ ポイント**

①塩素原子、臭素原子の作用によってオゾン層が破壊される。

②塩素を含むCFCとHCFC、臭素を含むハロンがオゾン層破壊物質である。

③オゾンホールは南極の春(北半球の秋：9月頃〜11月頃)にその範囲を広げていたが、フロン化合物の規制強化により増加傾向がおさまってきている。

# 練習問題

問6 成層圏オゾン層に関する記述中，下線を付した箇所のうち，誤っているものはどれか。

オゾン層を破壊する物質の生産，消費に関する国際的な規制の結果，<u>CFC の大気中濃度は減少傾向にある</u>が，<u>HCFC の濃度は増加</u>している。CFC，ハロン，HCFC などが分解して放出される<u>塩素原子</u>と<u>ふっ素原子</u>の濃度から計算される<u>等価実効成層圏塩素の量</u>は，1990 年代半ばにピークに達し，その後徐々に減少している。
(1)
(2)
(3)
(4)
(5)

**解　説**

　成層圏でのオゾンホールの生成は、フロン化合物やハロンが紫外線で分解されて発生する塩素原子や臭素原子の作用により、大量のオゾンが連鎖的に分解されて成層圏のオゾン濃度が減少することが原因で、(4)のふっ素原子は原因物質ではありません。

正解 ≫ （4）

## 2 地球温暖化

　大気がもつ温室効果には地表面から放射される赤外線を吸収するガスが主要な役割を果たしていて、中でも**水蒸気**($H_2O$)は存在量が多く広い波長域の赤外線を吸収するので、温室効果全体の約半分に寄与していると推定されています。

　水蒸気に次いで寄与が大きい**二酸化炭素**($CO_2$)の濃度が過去100年間に80ppm以上増加しているように、産業活動などの活発化によってさまざまな温室効果ガス(メタン、一酸化二窒素、CFC等)の大気中濃度の増加によって地球の温暖化が進むことが懸念されています。

　2007年に発表された気候変動に関する政府間パネル(IPCC)の第四次評価報告書によると1906年から2005年までの100年間で全球平均地上気温が0.74℃、平均海面水位が10 ～ 20cm上昇しました。

　1997年に合意された**京都議定書**※は2005年に発効し、2008年から2012年までの第1約束期間において、締結国の内、削減義務を負う先進国は1990年比の削減目標を掲げて排出量削減に取り組みましたが、新興国による排出量の急増もあり総排出量は増加しています。

　また、2013(平成25)年に公表されたIPCCの**第五次評価報告書**では、次に示す観測結果がまとめられています。

①陸域と海上を合わせた**世界平均地上気温**は、1880年から2012年の期間に0.85℃(0.65 ～ 1.06℃)**上昇**しました。

②**世界平均海面水位**は1901年から2010年の期間に0.19m(0.17 ～ 0.21m)**上昇**しました。

③1971 ～ 2010年において、海洋表層(0 ～ 700m)で**水温が上昇している**ことはほぼ確実であり、1992 ～ 2005年において、3,000mから海底までの層の海洋は温暖化した可能性が高い。

④過去20年にわたり、グリーンランド及び南極氷床の質量

※：京都議定書
京都議定書では、二酸化炭素、メタン、一酸化二窒素、ハイドロフルオロカーボン類、パーフルオロカーボン類、六ふっ化硫黄の6物質が削減対象だったが、2012年のCOP18(国連気候変動枠組み条約第18回締約国会議)で三ふっ化窒素が追加となり、現在は7物質が対象となっている。

表1 第1作業部会（科学的根拠）の主な結論

| |
|---|
| **【地球温暖化の原因】**<br>・人間活動が 20 世紀半ば以降に観測された温暖化の支配的な要因であった可能性が極めて高い（可能性 95％以上）。<br>・大気中の二酸化炭素、メタン、一酸化二窒素は、過去 80 万年間で前例のない水準まで増加している。 |
| **【現状（観測事実）】**<br>・温暖化については「疑う余地がない」。<br>・1880 〜 2012 年において、世界平均地上気温は 0.85℃上昇。<br>・最近 30 年の各 10 年間の世界平均地上気温は、1850 年以降のどの 10 年間よりも高温。<br>・海洋は人為起源の二酸化炭素の約 30％を吸収して、海洋酸性化を引き起こしている。<br>・1992 〜 2005 年において、3000m 以深の海洋深層においても水温が上昇している可能性が高い。 |
| **【将来予測】**<br>・今世紀末までの世界平均地上気温の変化予測は 0.3 〜 4.8℃である可能性が高い。<br>・今世紀末までの世界平均海面水位の上昇予測は 0.26 〜 0.82m である可能性が高い。<br>・$CO_2$ の総累積排出量と世界平均地上気温の変化は比例関係にある。最終的に気温が何度上昇するかは累積排出量の幅に関係する。これからの数十年でより多くの排出を行えば、その後はより多くの排出削減が必要となる。 |

［全国地球温暖化防止活動推進センター：「IPCC 第 5 次評価報告書 特設ページ」第 1 作業部会（科学的根拠）主な結論］

は減少しており、氷河はほぼ世界中で縮小し続けています。また、北極域の海氷及び北半球の春季の積雪面積は減少し続けています。

なお、表1に主な結論を示します。

京都議定書では、排出量削減の取組みとして、先進国間における**共同実施（JI）**、途上国における**クリーン開発メカニズム（CDM）**、**排出権取引**の3つの手法を認めています。JIは**先進国の間で技術・資金等の支援**を行い温室効果ガス排出量を削減する事業で、CDMは**先進国の環境対策技術、省エネルギー技術を途上国に移転・普及促進する**ことで温室効果ガスの排出量を低減し、低減分を先進国が自国の目標達成に利用できる制度です。

> ☑ ポイント
>
> ①IPCCの第五次評価報告書の観測結果や、表1の第四次評価報告書に記載されている地球温暖化を示す現象を覚えておく。
> ②京都議定書の共同実施(JI)、クリーン開発メカニズム(CDM)、排出権取引の3つの手法の名称と概要を覚えておく。

# 練習問題

問6　気候変動に関する政府間パネル(IPCC)の第5次評価報告書の内容に関する記述として，誤っているものはどれか。

(1)　陸域と海上を合わせた世界の平均地上気温は，1880年から2012年の期間に0.85℃上昇した。

(2)　世界の平均海面水位は，1901年から2010年の期間に0.19m上昇した。

(3)　1971年から2010年の期間に，海洋表層(0〜700m)で水温が上昇していることはほぼ確実である。

(4)　過去20年にわたり，グリーンランド及び南極の氷床の質量は減少している。

(5)　北極域の年平均海氷面積は，過去20年にわたり増加している。

## 解　説

2013(平成25)年にIPCCの第五次評価報告書で公表された地球温暖化の状況についての問題です。これまでは、第四次評価報告書で公表された地球温暖化の状況がよく出題されてきましたが、今後は第五次評価報告書で公表された内容を記憶しておいてください。

(5)の年平均海氷面積が「増加している」が誤りです。地球温暖化が進行しているという状況下で、海の氷結した部分の面積が増えることは温暖化の進行と矛盾するので、文章を落ち着いて読めば他の小問の正誤がわからなくても、(5)が誤りと容易に気づきます。

正解 >> (5)

第1章　第2章　第3章　第4章　第5章　第6章　第7章

# 練習問題

問8　地球温暖化に伴う様々な影響の予測に関する記述として，誤っているものはどれか（IPCC：第四次評価報告書(2007)による）。

(1)　サンゴの白化が増加して，広範囲でサンゴが死滅する。

(2)　21世紀末には平均海面水位が，20世紀末より最大約60 cm 低下する。

(3)　高緯度地域と湿潤熱帯地域では，水利用可能性が増加する。

(4)　いくつかの感染症媒介生物の分布が変化する。

(5)　沿岸域では，洪水と暴風雨による損害が増加する。

**解　説**

　地球温暖化の大きな影響の一つに、氷河の減少、北極や南極の氷の減少があります。その結果、水量が増えるので海面が上昇して、日本でも東京湾沿岸の海抜ゼロメートル地域は水没が危惧されています。地球温暖化で海水面が低下することはありません。したがって(2)が誤りであることは容易に気づきます。

　このように、公害防止管理者等の試験では、「増加→低下」のように逆の意味の用語に変えて誤った小問をつくっている例が多いので、正誤に迷ったら反対の意味の語句に変えて読んでみると誤りに気づきやすくなります。

正解 >> （2）

## 5-2 大気環境問題等

大気汚染を引き起こす物質の環境基準の達成状況がよく出題されます。$SO_2$、$NO_2$、粒子状物質（微小粒子状物質を含む）、光化学オキシダント、有害大気汚染物質の環境基準の達成状況を理解しておきましょう。

### 1 大気汚染問題

大気汚染は、工場などの固定発生源や自動車などの移動発生源から排出される硫黄酸化物（$SO_x$）、窒素酸化物（$NO_x$）、ばいじん、有害物質（カドミウム及びその化合物、鉛及びその化合物、塩素及び塩化水素、ふっ素・ふっ化水素及びふっ化けい素、窒素酸化物）、粉じん、一酸化炭素（CO）、炭化水素などによってひき起こされています。

二酸化硫黄（$SO_2$）あるいは$SO_x$、$NO_x$、粒子状物質（ばいじんなど）、COの大部分は、石炭、石油等の化石燃料の燃焼で排出される汚染物質です。

大気汚染物質はコンビナートや工業団地の周辺、住宅地に設置されている一般環境大気測定局（一般局）※と交通量の多い道路の周辺に設置されている自動車排出ガス測定局（自排局）※で継続してモニタリングされています。

環境基準が設定されている物質をはじめとする主な大気汚染物質の測定結果は、毎年度国が公表しています。

### ●二酸化硫黄

大気汚染の2大汚染物質のひとつである$SO_x$は、そのほとんどが工場から排出されるものであり、硫黄（S）を含んだ化石燃料の燃焼により発生し、その大部分は$SO_2$であり環境基準も$SO_2$で設定されています。

2021（令和3）年度の環境基準達成率※は、一般局で**99.8%**、

※：一般環境大気測定局
大気汚染防止法第22条「都道府県知事は、環境省令で定めるところにより、大気の汚染（中略）の状況を常時監視しなければならない。」の定めにより、環境大気の汚染状況を常時監視するための測定局。一般局とも呼ばれる。

※：自動車排出ガス測定局
自動車走行による排出物質に起因する大気汚染の考えられる交差点、道路及び道路端付近において大気汚染の状況を常時監視するための測定局。自排局とも呼ばれる。

※：環境基準達成率
環境基準達成率とは、すべての測定局のうちで、環境基本法によって定められた各大気汚染物質の環境基準を満たした測定局の割合を意味する。

図1 二酸化硫黄濃度の年平均値の推移

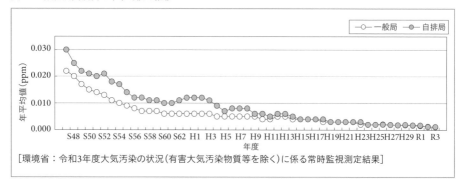

[環境省：令和3年度大気汚染の状況（有害大気汚染物質等を除く）に係る常時監視測定結果]

自排局で**100％**となっています。環境濃度は昭和45、46年の約1/7となっており、近年では横ばい傾向にあります（図1）。

### ◉一酸化炭素

一酸化炭素（CO）は、燃料等の不完全燃焼により生成する汚染物質であり、ボイラー等における燃焼技術の改善と自動車排ガス対策の強化により、大気への排出量は減少しています。2021（令和3）年度も、**一般局、自排局ともすべての測定局で環境基準を達成しています**。なお、昭和58年以降すべての測定局で環境基準を達成しています。

### ◉窒素酸化物

硫黄酸化物と並んで大気汚染の2大汚染物質のひとつである窒素酸化物（$NO_x$）は、工場と並び自動車が大きな発生源ですが、ビルや家庭などからの排出も無視できない量であり対策を難しくしています。

窒素酸化物は、窒素を含んだ化石燃料の燃焼により発生する**フューエル$NO_x$**と高温燃焼時に空気中の窒素が酸素と反応して生成する**サーマル$NO_x$**とがあります。燃焼直後の排ガス中の90〜95％は一酸化窒素（NO）ですが直ちに酸化されて$NO_2$になります。健康、植物等への影響は$NO_2$の方が強いため、

図2　二酸化窒素及び一酸化窒素濃度の年平均値の推移

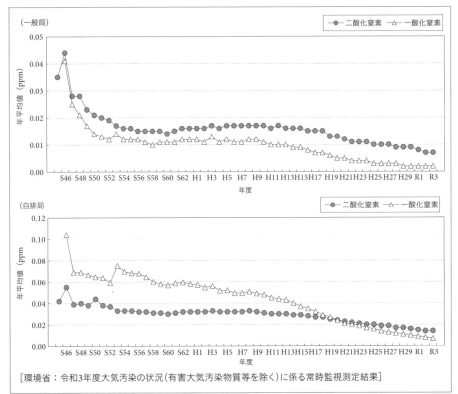

［環境省：令和3年度大気汚染の状況（有害大気汚染物質等を除く）に係る常時監視測定結果］

## 環境基準はNO₂で設定されています。

　2021（令和3）年度の環境基準達成率は、一般局で**100%**、自排局で**100%**となっています。図2に二酸化窒素及び一酸化窒素濃度の推移を示します。

## ◉粒子状物質

　粒子状物質（PM）は固体粒子、ミストなどの総称であり、固定発生源から排出される粒子状物質には、燃焼に伴うばいじんと物の粉砕や選別等に伴って発生、飛散する粉じん（一般粉じんと特定粉じん）があります。ばいじんについては、各種発生源について濃度規制があり、ばいじんに随伴して排出される有

害物質(カドミウム、鉛、ふっ化水素など)にはそれぞれに濃度規制があります。

大気中に浮遊しているPMのうち粒径**10μm以下**のものを**浮遊粒子状物質(SPM)**とし、健康への影響があることから環境基準が設定されています。SPMは工場、ディーゼル自動車などの発生源から排出されるもの(一次粒子)に加えて、SO₂、NOₓや揮発性有機化合物(VOC)などから大気中で生成するもの(二次粒子)があります。

2021(令和3)年度の環境基準達成率は、一般局で**100%**、自排局で**100%**となっています。図3に浮遊粒子状物質の濃度の推移を示します。

◉微小粒子状物質

粒子状物質の中で、**粒径2.5μm以下**のものを**微小粒子状物質**と呼び、2009年(平成21)年に環境基準が設定されました。

2021(令和3)年度の環境基準達成率は、一般局で**100%**、自排局で**100%**となっています。

図3 浮遊粒子状物質濃度の年平均値の推移

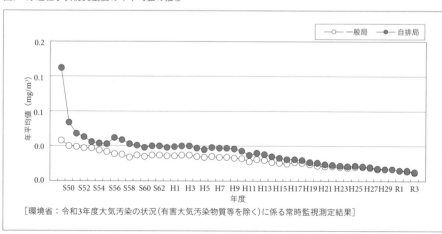

[環境省:令和3年度大気汚染の状況(有害大気汚染物質等を除く)に係る常時監視測定結果]

図4　昼間の日最高1時間値の光化学オキシダント濃度レベル毎の測定局数の推移（一般環境大気測定局）

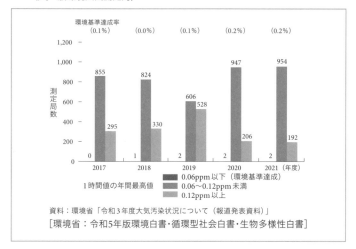

資料：環境省「令和3年度大気汚染状況について（報道発表資料）」
［環境省：令和5年版環境白書・循環型社会白書・生物多様性白書］

◉光化学オキシダント

　光化学オキシダントは、**NO$_x$と炭化水素を含む揮発性有機化合物（VOC）**などが太陽光による化学反応により生成するもので、**オゾンが90%以上**を占めています。**1時間値が0.06ppm以下**という環境基準値が設定されていますが、全国の測定局（一般局と自排局の合計）での**環境基準達成率は1%以下**と非常に低い状況が続いており、2017（平成29）年度以降では、2018（平成30）年度に1か所で、2019（令和元）年度と2020（令和2）年度と2021（令和3）年度にそれぞれ2か所で達成しただけとなっています（図4）。

◉有害大気汚染物質

　有害大気汚染物質は大気中濃度が低くても「継続的に摂取される場合には人の健康を損なうおそれがある物質で大気の汚染の原因となるもの」[※]と定義されています。現在23物質が優先取組物質に指定されており、ベンゼン、トリクロロエチレン、テトラクロロエチレンの3物質は「**指定物質**」と呼ばれ、これ

※：有害大気汚染物質の定義
大気汚染防止法第2条第13項

にジクロロメタンを加えた4物質には大気中濃度について環境基準が定められています。また、「指定物資」の3物質については**排出抑制基準**が定められています。

2021（令和3）年度の大気中濃度の測定結果によると、指定物質のベンゼン、トリクロロエチレン、テトラクロロエチレンの3物質とジクロロメタンのいずれも**すべての地点で環境基準を達成しています**。4物質のうち、ベンゼンは年度によりときどき環境基準未達成の測定地点があるので注意して記憶してください。

---

### ☑ ポイント

①各大気汚染物質の一般局と自排局での環境基準の達成率について毎年のように出題されている。

②環境基準の達成率は、3年度前のデータが出題されているので、その値を覚えておく（たとえば、令和6年度の試験対策としては令和3年度のデータを押さえておく）。

③全体の傾向としては、大気汚染物質の環境濃度は改善傾向が継続し、大部分の測定局で環境基準を達成している。ただし、光化学オキシダントの達成率は1％以下が継続している。

---

### 暗記

大気汚染物質の環境基準の達成率を覚える。

| 項目 | 一般局 | 自排局 |
|---|---|---|
| 二酸化硫黄 | 99.8% | 100% |
| 一酸化炭素 | 100% | 100% |
| 二酸化窒素 | 100% | 100% |
| 浮遊粒子状物質 | 100% | 100% |
| 微小粒子状物質 | 100% | 100% |
| 光化学オキシダント | 0.2% | 0% |

注意：上記は令和3年度のデータ。試験対策に当たっては当該年のデータを覚えておく。

## ●石綿

　石綿[※]は耐熱性等に優れており多くの製品に使用されてきましたが、発がん性などの健康影響があるため、原則として、その製造と使用が禁止されています。石綿製品などを製造する施設について、大気汚染防止法による**敷地境界基準による排出規制**[※]が行われ、吹付け石綿を使用する一定規模の耐火性建築物の解体などの作業には**作業基準等**が定められています。

　環境省は2021（令和3）年度に、石綿の飛散が懸念される建築物の解体工事等の作業現場周辺など、全国42地点114箇所[※]を対象に大気中の石綿濃度の測定を行いました。その結果、一部の解体現場（建物内）で石綿繊維について高い濃度がみられましたが、建物周辺及び一般環境においては特に高い濃度はみられませんでした。

## ●移動発生源（自動車等）

　ガソリン又は軽油をエンジンで燃焼して走行する自動車は、炭化水素、CO、$NO_x$、PM（粒子状物質）などを排出し、大都市域での大気汚染への寄与率が大きいと考えられています。特に、大量の黒煙と$NO_x$を排出するディーゼルエンジン自動車対策が緊急課題であったことから、中央環境審議会で規制強化に関する第八次答申が取りまとめられ、これを受けて関係法令が整備されました。図5に示すように2016（平成28）〜2018（平成30）年における排出抑制の目標値は、$NO_x$について1974（昭和49）年の7％、PMについては1％となっており、世界でも厳しいものになっています。

## ●悪臭

　環境省の令和3年度悪臭防止法施行状況調査によれば、悪臭の苦情件数は1994（平成6）年度から増加傾向にあり、2003（平成15）年度には過去最高の24,000件余りとなりましたが、それ以降は減少傾向にあり、2021（令和3）年度は12,950件であった。

※：石綿
石綿（いしわた・せきめん）は天然の繊維性けい酸塩鉱物の総称で、英語では「アスベスト」という。アスベストは、アスベストを含有する製品の破砕やアスベストを使用した建築物や工作物の解体に伴って大気中に飛散する。

※：敷地境界基準による排出規制
大気汚染防止法施行規則第16条の2には、「石綿に係る法第18条の5の敷地境界基準は、環境大臣が定める測定法により測定された大気中の石綿の濃度が1リットルにつき10本であることとする。」と定められている。

※：42地点114箇所
環境省：令和3年度アスベスト大気濃度調査結果について（2022年10月14日発表）

図5 ディーゼル重量車（車両総重量3.5t超）規制強化の推移

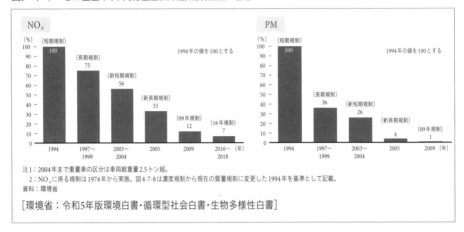

注1：2004年まで重量車の区分は車両総重量2.5トン超。
　2：NO₂に係る規制は1974年から実施。図4-7-8は濃度規制から現在の質量規制に変更した1994年を基準として記載。
資料：環境省

[環境省：令和5年版環境白書・循環型社会白書・生物多様性白書]

　　発生源別にみると、野外焼却に対する苦情が最も多く、全体の27.9％を占めており、第2位はサービス業・その他（14.7％）、第3位は個人住宅・アパート・寮（13.4％）でした。

# 練習問題

問 9　光化学オキシダントに関する(ア)～(オ)の記述のうち，誤っているものはいくつあ
るか。

　(ア)　光化学オキシダントは，大気中の $NO_x$ と非メタン炭化水素を含む VOC な
　　　どが関わる光化学反応で生成する。

　(イ)　光化学オキシダントには，1 時間値が 0.12 ppm 以下という環境基準が設定
　　　されている。

　(ウ)　光化学オキシダントの 1 時間値の年間最高値が 0.12 ppm 以上の測定局は，
　　　最近 5 年間(平成 21 ～ 25 年度)では増加する傾向にある。

　(エ)　光化学オキシダントの主成分はオゾンで，約 60 ％を占めている。

　(オ)　光化学オキシダント注意報の発令延べ日数は，年によって増減している。

　(1)　1　　　　　(2)　2　　　　(3)　3　　　　(4)　4　　　　(5)　5

## 解　説

　誤っている小問の数を問う設問で、最近増えてきた出題形式です。5 つの小問の
正誤をすべて判断できないと正解が見つからないので一見難しい問題にみえます。
しかしながら、5 つの小問とも過去に繰り返し出題されているもので構成されてい
るので、（イ）（ウ）（エ）の 3 つが誤りであることは容易に判断できます。

　（イ）の「0.12ppm」は正しくは「0.06ppm」、（ウ）の「増加する傾向」は正しくは「減
少する傾向」、（エ）の「約60％」は「約90％」の誤りです。したがって、(3)が正解です。

正解 >> （3）

# 練習問題

問6　平成22年度における大気環境の現状に関する記述として，誤っているものは
どれか。

(1)　二酸化硫黄の大気中濃度の年平均値は，自動車排出ガス測定局(自排局)で
0.003 ppm であり，一般環境大気測定局(一般局)での値と同じであった。

(2)　二酸化窒素の大気中濃度の年平均値は，自排局で 0.022 ppm であり，一般
局における年平均値の2倍であった。

(3)　光化学オキシダントの環境基準を達成した測定局はゼロであった。

(4)　一酸化炭素については，すべての測定局で環境基準が達成された。

(5)　微小粒子状物質の環境基準(短期基準)達成率は，一般局で約90％であった。

## 解　説

　微小粒子状物質とは、粒子径が2.5μm以下で、2009(平成21)年に制定された一
番新しい大気環境基準です。まだ測定局の数が少なく、年度ごとの環境基準達成率
も他に比べて低いので、試験の対象となる年度の数字を記憶しておいてください。
平成22年度の環境基準達成率は、一般局32.4％、自排局8.3％でした。したがって、
「一般局で約90％」は誤りです。

正解 >> （5）

# 練習問題

平成26・問8

問8　大気汚染物質とその主たる生成要因の組合せとして，誤っているものはどれか。

　　　（大気汚染物質）　　　　　（主たる生成要因）

(1)　アスベスト　　　　　石炭の燃焼

(2)　一酸化炭素　　　　　燃料の不完全燃焼

(3)　二酸化窒素　　　　　一酸化窒素の大気中での酸化

(4)　二酸化硫黄　　　　　燃料中の硫黄分の燃焼

(5)　オゾン　　　　　　　大気中の光化学反応

### | 解　説 ▶

　アスベスト（石綿）は、耐熱性、耐摩耗性、耐薬品性等に優れていることから、ブレーキライニング、石綿スレート等の製品のほか、建築物の耐火用吹き付け材として使用されてきました。発がん性等の健康影響があるため、原則としてその使用と製造が禁止されています。したがってアスベストは、アスベストを含有する製品の破砕やアスベストを使用した建築物や工作物の解体に伴って大気中に飛散します。化石燃料等の燃焼によって発生する物質ではありません。

正解 >> （1）

第1章　第2章　第3章　第4章　第5章　第6章　第7章

# 練習問題

問8 粒子状物質に関する記述として，誤っているものはどれか。

(1) 固体粒子やミストなどの総称である。

(2) 固定発生源から燃焼に伴って発生するものは，ばいじんと呼ばれる。

(3) 大気中に浮遊する粒径 10 μm 以下のものは，浮遊粒子状物質と呼ばれる。

(4) 浮遊粒子状物質濃度には，自然発生源由来の粒子状物質は寄与しない。

(5) 平成 24 年度における微小粒子状物質の環境基準達成率は 50 %以下である。

## 解 説

　浮遊粒子状物質濃度測定の公定法（法律により定められている分析法）では、人為由来でも自然発生由来（黄砂、火山排出物、森林火災の煙など）でも、浮遊粒子状物質は区別なくカウントされます。したがって、(4)が正解です。

　小問の出題内容で本問(4)の「〜しない」のように「全否定」する場合や「〜だけである」のように「限定」する表現の文章は「誤りの文章」である場合が多いので、正誤の判断の参考にしてください。

正解 >> （4）

# 5-3 水質・土壌環境問題

大気汚染物質と同じく環境基準の設定されている物質の達成状況がよく出題されます。水質に係る環境基準（地下水を含む）の達成状況をよく理解しておきましょう。

## 1 水質汚濁の現状

### ◉水質汚濁に係る環境基準：健康項目

2021（令和3）年度の全国公共用水域水質測定結果によると、水質汚濁に係る環境基準のうち、カドミウムなど人の健康の保護に関する環境基準（一般に「**健康項目**」<sup>※</sup>という）（27物質）の達成率は表1に示すように**99.1％**（前年度99.1％）で前年度と同様にほとんどの地点で環境基準が達成されています。

公共用水域で達成率の一番悪い<sup>※1</sup>のは**ひ素**（前年度ふっ素）で、ついで、**ふっ素**（前年度ひ素）となっています。

なお、超過地点数でみると、これまでも毎年ひ素が一番多く、ふっ素が2番目です。

2021（令和3）年度はこのほかに、**カドミウム**、**鉛**、**総水銀**、**1,2-ジクロロエタン**、**硝酸性窒素及び亜硝酸性窒素**について環境基準を超過した地点がありました。

### ◉水質汚濁に係る環境基準：生活環境項目

水質汚濁に係る環境基準のうち、生活環境の保全に関する環境基準（一般に「**生活環境項目**」<sup>※</sup>という）では、BOD又はCOD<sup>※</sup>の環境基準の達成率をみると、測定地点全体では2020（令和2）年度は88.8％でしたが、2021（令和3）年度は88.3％で少し悪化傾向がみられます。

図1にBOD又はCODの環境基準の達成率の推移を示します。水域別でみると、2021（令和3）年度は

**※：健康項目**
「水質汚濁に係る環境基準について」（1971（昭和）46年12月28日環境庁告示第59号）の第1の第1号及び別表1において、「人の健康の保護に関する環境基準」として項目と基準値が定められている。この項目のことを一般に「健康項目」と呼ぶ。

**※1**
非達成率＝（a：超過地点数/b：調査地点数）

**※：生活環境項目**
上記告示の第1の第2号及び別表2において、「生活環境の保全に関する環境基準」として水域類型ごとに基準値が定められている。この項目のことを一般に「生活環境項目」と呼ぶ。

**※：BOD、COD**
河川についてはBODが、湖沼、海についてはCODが測定されている。

第1章
第2章
第3章
第4章
第5章
第6章
第7章

表1　健康項目の環境基準達成状況(非達成率)

| | 令和3年度 | | | | | | | | | 令和2年度 | | |
| | 河川 | | 湖沼 | | 海域 | | 全体 | | | 全体 | | |
| | a:超過地点数 | b:調査地点数 | a:超過地点数 | b:調査地点数 | a:超過地点数 | b:調査地点数 | a:超過地点数 | b:調査地点数 | a/b(%) | a:超過地点数 | b:調査地点数 | a/b(%) |
|---|---|---|---|---|---|---|---|---|---|---|---|---|
| カドミウム | 3 | 2,975 | 0 | 249 | 0 | 779 | 3 | 4,003 | 0.07 | 3 | 4,073 | 0.07 |
| 全シアン | 0 | 2,665 | 0 | 222 | 0 | 671 | 0 | 3,558 | 0 | 0 | 3,654 | 0 |
| 鉛 | 3 | 3,093 | 0 | 250 | 0 | 795 | 3 | 4,138 | 0.07 | 4 | 4,205 | 0.10 |
| 六価クロム | 0 | 2,718 | 0 | 226 | 0 | 733 | 0 | 3,677 | 0 | 0 | 3,801 | 0 |
| 砒素 | 22 | 3,082 | 2 | 254 | 0 | 814 | 24 | 4,150 | 0.58 | 21 | 4,193 | 0.50 |
| 総水銀 | 1 | 2,831 | 0 | 236 | 0 | 777 | 1 | 3,844 | 0.03 | 0 | 3,936 | 0 |
| アルキル水銀 | 0 | 525 | 0 | 60 | 0 | 168 | 0 | 753 | 0 | 0 | 730 | 0 |
| PCB | 0 | 1,792 | 0 | 158 | 0 | 426 | 0 | 2,376 | 0 | 0 | 2,270 | 0 |
| ジクロロメタン | 0 | 2,567 | 0 | 204 | 0 | 545 | 0 | 3,316 | 0 | 0 | 3,374 | 0 |
| 四塩化炭素 | 0 | 2,544 | 0 | 204 | 0 | 528 | 0 | 3,276 | 0 | 0 | 3,325 | 0 |
| 1,2-ジクロロエタン | 1 | 2,558 | 0 | 202 | 0 | 555 | 1 | 3,315 | 0.03 | 1 | 3,382 | 0.03 |
| 1,1-ジクロロエチレン | 0 | 2,568 | 0 | 203 | 0 | 551 | 0 | 3,322 | 0 | 0 | 3,369 | 0 |
| シス-1,2-ジクロロエチレン | 0 | 2,586 | 0 | 203 | 0 | 543 | 0 | 3,332 | 0 | 0 | 3,354 | 0 |
| 1,1,1-トリクロロエタン | 0 | 2,588 | 0 | 209 | 0 | 543 | 0 | 3,340 | 0 | 0 | 3,384 | 0 |
| 1,1,2-トリクロロエタン | 0 | 2,587 | 0 | 203 | 0 | 544 | 0 | 3,334 | 0 | 0 | 3,354 | 0 |
| トリクロロエチレン | 0 | 2,603 | 0 | 213 | 0 | 557 | 0 | 3,373 | 0 | 0 | 3,427 | 0 |
| テトラクロロエチレン | 0 | 2,605 | 0 | 213 | 0 | 557 | 0 | 3,375 | 0 | 0 | 3,430 | 0 |
| 1,3-ジクロロプロペン | 0 | 2,593 | 0 | 207 | 0 | 531 | 0 | 3,331 | 0 | 0 | 3,331 | 0 |
| チウラム | 0 | 2,530 | 0 | 203 | 0 | 518 | 0 | 3,251 | 0 | 0 | 3,275 | 0 |
| シマジン | 0 | 2,559 | 0 | 204 | 0 | 526 | 0 | 3,289 | 0 | 0 | 3,261 | 0 |
| チオベンカルブ | 0 | 2,576 | 0 | 204 | 0 | 517 | 0 | 3,297 | 0 | 0 | 3,236 | 0 |
| ベンゼン | 0 | 2,544 | 0 | 204 | 0 | 551 | 0 | 3,299 | 0 | 0 | 3,347 | 0 |
| セレン | 0 | 2,556 | 0 | 196 | 0 | 554 | 0 | 3,306 | 0 | 0 | 3,368 | 0 |
| 硝酸性窒素及び亜硝酸性窒素 | 2 | 3,106 | 0 | 377 | 0 | 782 | 2 | 4,265 | 0.05 | 2 | 4,246 | 0.05 |
| ふっ素 | 15 (25) | 2,591 2,601 | 1 (2) | 223 (224) | 0 (0) | 0 (26) | 16 (27) | 2,814 2,851 | 0.57 | 17 (26) | 2,840 2,871 | 0.60 |
| ほう素 | 0 (64) | 2,477 2,541 | 0 (3) | 214 217 | 0 (0) | 0 (21) | 0 (67) | 2,691 2,779 | 0 | 0 (75) | 2,722 2,814 | 0 |
| 1,4-ジオキサン | 0 | 2,519 | 0 | 203 | 0 | 601 | 0 | 3,323 | 0 | 0 | 3,326 | 0 |
| 合計 | 45 <47> | 3,806 | 3 <3> | 401 | 0 <0> | 1,061 | 48 <50> | 5,286 | 0.91 | 45 <48> | 5,276 | 0.85 |

注：1 硝酸性窒素及び亜硝酸性窒素、ふっ素、ほう素は、平成11年度から全国的に水質測定を開始している。
　　2 ふっ素及びほう素の環境基準は、海域には適用されない。これら2項目に係る海域の測定地点数は、( )内に参考までに記載したが、環境基準の評価からは除外し、合計欄にも含まれない。
　　　また、河川及び湖沼においても、海水の影響により環境基準を超過した地点を除いた地点数を記載しているが、下段( )内には、これらを含めた地点数を参考までに記載した。
　　3 合計欄の上段には重複のない地点数を記載しているが、下段< >内には、同一地点において複数の項目が環境基準を超えた場合でも、それぞれの項目において超過地点数を1として集計した、延べ地点数を記載した。なお、非達成率の計算には、複数の項目で超過した地点の重複分を差し引いた超過地点数48により算出した。
[環境省：令和3年度公共用水域水質測定結果]

図1 環境基準達成率の推移(BOD又はCOD)

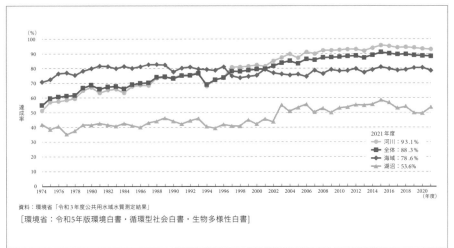

資料：環境省「令和3年度公共用水域水質測定結果」
［環境省：令和5年版環境白書・循環型社会白書・生物多様性白書］

①河川93.1%（前年度93.5%）

②湖沼53.6%（前年度49.7%）

③海域78.6%（前年度80.7%）

で**達成率が一番悪いのは湖沼**です。湖沼のCODの環境基準達成率は、前年度に比べてやや改善しています。海域のCODの環境基準達成率はおおむね80%前後で横ばい傾向にあります。

東京湾、伊勢湾、大阪湾、瀬戸内海などの**閉鎖系水域**<sup>※</sup>では、流入した汚濁物質が蓄積しやすく汚濁が生じやすい状況にあり、ここにさらに**窒素**、**りん**等を含む物質が流入すると藻類などが増殖繁茂することに伴いその水質が累積的に悪化して、いわゆる**富栄養化**が起こり**赤潮等の現象**が発生します。

**※：閉鎖性水域**
地理的要因で、水の流出入の機会が乏しい環境におかれている海、湖沼を指す。

●**海洋環境**

海洋汚染の発生件数は、2022（令和4）年で合計**468件**と2021（令和3）年の493件に比べて25件減少しています。汚染原因件

第1章
第2章
第3章
第4章
第5章
第6章
第7章

数の割合は、2022(令和4)年では、油64%（299件）、廃棄物32%（148件）、有害液体物質2%（8件）、その他(工場排水等)3%（13件)となっています。

> **☑ ポイント**
> ①公共用水域での健康項目について環境基準を超過した項目名を覚えておく。
> ②生活環境項目のBOD・CODの河川・湖沼・海域での達成率の違いに注意する(湖沼が最も悪い)。
> ③大気汚染物質同様、環境基準の達成率や超過項目は毎年変わるので、当該年の達成率や超過項目を記憶する。

### ●地下水

地下水の水質汚濁に係る環境基準※については、カドミウム、全シアン、鉛、六価クロムなど28項目に環境基準値が設定されています。2021(令和3)年度地下水質測定結果を表2に示します。これによると、地下水の全体的な汚染の状況を把握するために実施された概況調査の結果では、環境基準値を超過した項目が1項目以上あった井戸は、調査対象井戸2,995本のうち153本で超過率は**5.1%**でした。

項目別の環境基準超過率は、**砒素**(2.4%)が最も高く、次いで、**硝酸性窒素及び亜硝酸性窒素**(2.0%)、**ふっ素**(0.7%)、**鉛**(0.4%)、**ほう素**(0.2%)、**クロロエチレン**(別名塩化ビニル又は塩化ビニルモノマー)(0.2%)、総水銀(0.1%)、1,2-ジクロロエチレン(0.1%)、テトラクロロエチレン(0.1%)、トリクロロエチレン(0.1%)の順であった。超過率の高い項目のうち、硝酸性窒素及び亜硝酸性窒素、ひ素、ふっ素、テトラクロロエチレン、トリクロロエチレン、鉛の超過率の推移を図2に示します。

硝酸性窒素及び亜硝酸性窒素が最も超過率が高いが、その原因としては、**農用地への施肥、家畜の排泄物、一般家庭からの**

※：地下水の水質汚濁に係る環境基準
地下水の水質汚濁に係る環境基準について(1997(平成)9年3月13日環境庁告示第10号)に定められる項目は、前述の「水質汚濁に係る環境基準」の「健康項目」とほぼ同じである。項目の相違としては、地下水の項目には「塩化ビニルモノマー」(クロロエチレン)があるが、水質汚濁に係る環境基準の「健康項目」にはなく、地下水の項目の「1,2-ジクロロエチレン」(シス体とトランス体の濃度の和)は「健康項目」では「シス-1,2-ジクロロエチレン」(シス体のみの濃度)となっている(表1、表2参照)。

表2　2021（令和3）年度地下水水質測定結果（概況調査）

| 項目 | 概況調査結果 | | | | | （参考）令和 2 年度 概況調査結果 | | |
|---|---|---|---|---|---|---|---|---|
| | 調査数（本） | 検出数（本） | 検出率（%） | 超過数（本） | 超過率（%） | 調査数（本） | 超過数（本） | 超過率（%） |
| カドミウム | 2,504 | 17 | 0.7 | 0 | 0.0 | 2,586 | 0 | 0.0 |
| 全シアン | 2,334 | 0 | 0.0 | 0 | 0.0 | 2,404 | 0 | 0.0 |
| 鉛 | 2,613 | 156 | 6.0 | 10 | 0.4 | 2,692 | 6 | 0.2 |
| 六価クロム | 2,552 | 2 | 0.1 | 0 | 0.0 | 2,609 | 0 | 0.0 |
| 砒素 | 2,654 | 338 | 12.7 | 63 | 2.4 | 2,724 | 57 | 2.1 |
| 総水銀 | 2,495 | 2 | 0.1 | 2 | 0.1 | 2,577 | 1 | 0.0 |
| アルキル水銀 | 653 | 0 | 0.0 | 0 | 0.0 | 494 | 0 | 0.0 |
| PCB | 1,879 | 0 | 0.0 | 0 | 0.0 | 1,943 | 0 | 0.0 |
| ジクロロメタン | 2,564 | 0 | 0.0 | 0 | 0.0 | 2,636 | 0 | 0.0 |
| 四塩化炭素 | 2,481 | 12 | 0.5 | 0 | 0.0 | 2,554 | 0 | 0.0 |
| クロロエチレン（別名塩化ビニル又は塩化ビニルモノマー） | 2,337 | 20 | 0.9 | 4 | 0.2 | 2,385 | 1 | 0.0 |
| 1,2-ジクロロエタン | 2,468 | 2 | 0.1 | 0 | 0.0 | 2,544 | 0 | 0.0 |
| 1,1-ジクロロエチレン | 2,444 | 11 | 0.5 | 0 | 0.0 | 2,513 | 0 | 0.0 |
| 1,2-ジクロロエチレン | 2,575 | 37 | 1.4 | 2 | 0.1 | 2,651 | 3 | 0.1 |
| 1,1,1-トリクロロエタン | 2,573 | 14 | 0.5 | 0 | 0.0 | 2,649 | 0 | 0.0 |
| 1,1,2-トリクロロエタン | 2,341 | 5 | 0.2 | 0 | 0.0 | 2,414 | 0 | 0.0 |
| トリクロロエチレン | 2,644 | 56 | 2.1 | 2 | 0.1 | 2,722 | 4 | 0.1 |
| テトラクロロエチレン | 2,638 | 76 | 2.9 | 2 | 0.1 | 2,716 | 5 | 0.2 |
| 1,3-ジクロロプロペン | 2,169 | 0 | 0.0 | 0 | 0.0 | 2,199 | 0 | 0.0 |
| チウラム | 2,105 | 0 | 0.0 | 0 | 0.0 | 2,135 | 0 | 0.0 |
| シマジン | 2,103 | 0 | 0.0 | 0 | 0.0 | 2,132 | 0 | 0.0 |
| チオベンカルブ | 2,103 | 0 | 0.0 | 0 | 0.0 | 2,132 | 0 | 0.0 |
| ベンゼン | 2,518 | 2 | 0.1 | 0 | 0.0 | 2,573 | 0 | 0.0 |
| セレン | 2,346 | 35 | 1.5 | 0 | 0.0 | 2,419 | 0 | 0.0 |
| 硝酸性窒素及び亜硝酸性窒素 | 2,773 | 2,379 | 85.8 | 56 | 2.0 | 2,871 | 94 | 3.3 |
| ふっ素 | 2,589 | 1,057 | 40.8 | 18 | 0.7 | 2,635 | 21 | 0.8 |
| ほう素 | 2,500 | 838 | 33.5 | 4 | 0.2 | 2,562 | 7 | 0.3 |
| 1,4-ジオキサン | 2,320 | 7 | 0.3 | 0 | 0.0 | 2,382 | 0 | 0.0 |
| 全体 | 2,995 | 2,743 | 91.6 | 153 | 5.1 | 3,102 | 184 | 5.9 |

注1：検出数とは各項目の物質を検出した井戸の数であり、検出率とは調査数に対する検出数の割合である。超過数とは環境基準を超過した井戸の数であり、超過率とは調査数に対する超過数の割合である。環境基準超過の評価は年間平均値による。ただし、全シアンについては最高値とする。
注2：全体とは全調査井戸の結果で、全体の超過数とはいずれかの項目で環境基準超過があった井戸の数であり、全体の超過率とは全調査井戸の数に対するいずれかの項目で環境基準超過があった井戸の数の割合である。
[環境省：令和 3 年度地下水質測定結果]

図2 地下水の水質汚濁に係る環境基準超過率（概況調査）の推移

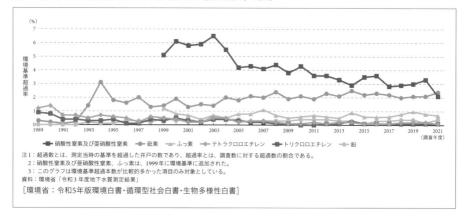

注1：超過数とは、測定当時の基準を超過した井戸の数であり、超過率とは、調査数に対する超過数の割合である。
　2：硝酸性窒素及び亜硝酸性窒素、ふっ素は、1999年に環境基準に追加された。
　3：このグラフは環境基準超過本数が比較的多かった項目のみ対象としている。
資料：環境省「令和3年度地下水質測定結果」

［環境省：令和5年版環境白書・循環型社会白書・生物多様性白書］

**生活排水**などが挙げられています。ふっ素の超過率はこのとこ
ろ横ばいでしたが、やや増加しています。また、汚染源が主に
事業場にあるトリクロロエチレン等の揮発性有機化合物につい
ては超過率の大きな変化はみられません。

> ✅ ポイント
>
> ①地下水の水質汚濁に係る環境基準超過率の高い項目や順位を、公
> 　共用水域の水質汚濁に係る環境基準の健康項目と比較する出題が
> 　多い。
> ②地下水の環境基準の超過率も毎年度変わるので、当該年の超過率
> 　と項目を覚えておく。

# 暗記

環境基準の達成状況を覚える。

| 環境基準 | | 達成率 | 非達成率（超過率）の多い項目（多い順） |
|---|---|---|---|
| 公共用水域の水質汚濁に係る環境基準 | | | |
| | 健康項目 | 99.1% | ふっ素、ひ素、鉛、カドミウム、硝酸性窒素及び亜硝酸性窒素、1,2-ジクロロエタン |
| | 生活環境項目のうちCOD又はBOD | 全体 88.3% | |
| | | 河川 93.1% | |
| | | 湖沼 53.6% | |
| | | 海域 78.6% | |
| 地下水の水質汚濁に係る環境基準 | | 超過率 5.1% | 硝酸性窒素及び亜硝酸性窒素、ひ素、ふっ素など |

注意：上記は令和3年度のデータ。試験対策に当たっては当該年のデータを覚えておく。

第1章
第2章
第3章
第4章
第5章
第6章
第7章

# 練習問題

問10 平成 23 年度の環境省による全国公共用水域の水質測定及び地下水測定(概況調査)に関する記述として，誤っているものはどれか。

(1) 公共用水域の人の健康の保護に関する環境基準は，ほとんどの地点で達成されている。

(2) 公共用水域の人の健康の保護に関する環境基準の達成率が低い項目の一つとして，ひ素がある。

(3) 河川，湖沼及び海域の中で BOD 又は COD の環境基準達成率が最も低いのは湖沼である。

(4) 地下水の水質汚濁に係る環境基準のうち，トリクロロエチレン等の揮発性有機化合物については，前年度に比べて超過率に大きな変化はない。

(5) 地下水の水質汚濁に係る環境基準の超過率が高い硝酸性窒素及び亜硝酸性窒素の主な汚染源としては，化学工場や半導体工場が挙げられている。

| 解 説 |

　地下水の環境基準の超過率が最も高い硝酸性窒素及び亜硝酸性窒素の主な汚染源は、農用地への施肥(窒素肥料)、家畜排泄物、一般家庭からの生活排水などが挙げられています。

正解 >> (5)

# 練習問題

問10　公共用水域の水質汚濁の現状に関する記述として，誤っているものはどれか（環境省平成 30 年度公共用水域水質測定結果による）。

　(1)　海域では，健康項目の環境基準を超過した地点はなかった。

　(2)　河川，湖沼，海域のうち，健康項目の環境基準達成率が最も低いのは河川であった。

　(3)　環境基準を超過した地点数が最も多かった健康項目は，硝酸性窒素及び亜硝酸性窒素であった。

　(4)　PCB に関しては，平成 29 年度及び平成 30 年度ともに，環境基準を超過した地点はなかった。

　(5)　カドミウム，鉛，六価クロム，ひ素，総水銀のうち，環境基準を超過した地点数が最も多かった健康項目は，ひ素であった。

**| 解　説 ▶**

　公共用水域における健康項目で、超過地点数で一番多いのは、ひ素で二番目がふっ素である。例年、ふっ素の調査地点数はひ素より約1/3少ないため、超過地点数の割合で比較すると、ふっ素の方がひ素より大きな値になる年があるので注意が必要である。

　設問の調査年度では、超過地点数の割合でみるとふっ素の割合の方が大きい年であった。しかしながら、設問は硝酸性窒素及び亜硝酸性窒素とあるので、(3)が誤りである。硝酸性窒素及び亜硝酸性窒素は、地下水の環境基準超過地点数、割合がともに一番大きい物質である。

正解 >> （3）

## 2 土壌汚染・地盤沈下の現状

### ●土壌汚染

　土壌汚染の原因としては、不適切な取り扱いによる原材料の漏出等により土壌に直接に混入する場合と、事業活動などによる水質汚濁や大気汚染を通じて二次的に土壌中に有害物質が取り込まれる場合とがあります。

　都道府県等が把握している調査結果では、2021（令和3）年度に土壌の汚染に係る環境基準又は土壌汚染対策法の土壌溶出量基準又は土壌含有量基準を超える汚染が判明した事例は調査した2,518件中994件となっています。事例を有害物質の項目別でみると、ふっ素、鉛、ひ素等の重金属による汚染が多くみられます。また、ダイオキシン類による土壌汚染は、ダイオキシン類対策特別措置法により、常時監視及び汚染土壌対策が実施されています。

　農用地では、農用地の土壌の汚染防止等に関する法律に基づいて、カドミウム及びその化合物、銅及びその化合物、ひ素及びその化合物が特定有害物質とされ監視と対策が行われています。

### ●地盤沈下

　地盤沈下では、2021（令和3）年度に調査した39都道府県64地域のうち、最大の地盤沈下の値は3.47cm/年（筑後・佐賀平野）でした。（環境省：令和3年度全国の地盤沈下地域の概況）

## 3 水利用における汚濁物質の低減

　水質汚濁物質の発生源は、**人の生活**に由来するものと、**生産活動**に由来するものの二つに分けることができます。

### ●生活排水

※：し尿
人間の大小便を合わせた呼び方。

　人の生活に由来する排水（生活排水）の発生源としては、し尿※と生活系雑排水（台所排水、風呂・洗濯排水など）が挙げられます。

生活排水は、有機物（BOD、COD）と富栄養化物質の窒素、りんを含んでいます。成人1日当たり排出する生活排水中の汚濁物質の**原単位**(g/(人・日))として、**BOD 45**(g/(人・日))、**COD 23**(g/(人・日))、**全窒素 9.0**(g/(人・日))、**全りん 1.0**(g/(人・日))程度です。これらの汚濁物質は下水道や浄化槽※などで処理されます。下水道には、雨水と排水を合わせて下水処理場で処理する**合流式下水道**と汚水用管路と雨水用管路の二つを埋設し、汚水は下水処理場へ、雨水は川や海に放流する**分流式下水道**があります。（出典：「用水と廃水」Vol.48,No.5,p.64 ～ 70,(2006)）

※：浄化槽
水洗式便所と連結して、し尿（糞及び尿）及び、それと併せて雑排水（生活に伴い発生する汚水（生活排水））を処理し、終末処理下水道以外に放流するための設備。

### ●工場排水

　生産活動に由来する汚濁発生源のうち、大きな割合を占める工業からの汚濁物質の排出には排水基準などが定められるなど、汚濁物質の低減が図られています。しかし、排水基準項目に含まれない物質でも生体影響などのおそれのある物質もあります。

　また現在、製造工程中に利用される工業用水は、回収利用されているものが2014（平成26）年には、78.9％に達していますが、回収水の利用率向上は環境への汚濁物質の排出量の抑制につながるので、今後とも用水の再利用を推進していくことが重要です。

### 4 水環境保全における課題
### ●人などへの影響の低減化

　公共用水域の水質汚濁に係る環境基準には、健康項目と生活環境項目があります。これらの基準に加えて、2003（平成15）年に、**水生生物の保護に関する環境基準**※が定められました。2009（平成21）には、工業用溶媒などに利用されている1,4-ジオキサンが健康項目に追加されました。

　また同年、地下水の水質汚濁に係る環境基準に塩化ビニルモノマー、1,4-ジオキサンが追加されるとともに、従来のシス

※：水生生物の保護に関する環境基準
2003年　亜鉛
2012年　ノニルフェノール
2013年　直鎖アルキルベンゼンスルホン酸及びその塩
2016年　底層溶存酸素量

–1,2–ジクロロエチレンに代わり、シス体及びトランス体の総和として1,2–ジクロロエチレンが追加されました。

### ◉水処理後の汚泥処理

　排水からの環境への負荷を低減させるために水処理が行われますが、その結果、処理に伴う**汚泥**が排出されるため、その処理を適切に行わないと環境への負荷が、単に排水から廃棄物（汚泥処理）に移行したに過ぎないという結果になってしまいます。したがって、汚泥量が少ない処理方法を適用するように努めるとともに、**汚泥の適切な処理**と**再利用の推進**を図らなければなりません。

## 5-4 騒音・振動問題

騒音・振動問題の概要を解説します。騒音・振動に係る苦情件数の傾向や、環境基準の設定されている騒音の達成状況を理解しておきましょう。

### 1 騒音・振動問題の概要

騒音・振動は、主観による判断であることが多く、そのため、感覚公害といわれています。また、騒音・振動は、発生源から離れると減衰し、ある程度離れると問題はほとんどなくなります。しかし、その発生源の数は非常に多いため、騒音・振動問題は局所的・多発形の公害となっています。

騒音・振動の大きさは、**騒音レベル**又は**振動レベル**で表し、その単位はどちらも感覚尺度を取り入れた**デシベル(dB)**を用いています。なお、騒音については、以前はホン(phon (音の感覚的な強さのレベルの単位)とは異なる)が用いられていましたが、現在は計量法の改正により使用されていません。騒音・振動は感覚的には分かりやすいものですが、その大きさ(レベル)の扱いや対策においては難しい点が多々あります。こうした公害問題を解決するために環境基準や規制基準及び指針値が定められています。

### 2 苦情件数

環境省の騒音規制法、振動規制法の施行状況調査によれば、1978(昭和53)年ごろから苦情件数は減少傾向にありましたが、1999(平成11)年より徐々に増加傾向がみられます(図1)。2021(令和3)年度の発生源別苦情件数については、騒音(19,700件)は**建設作業**(全体の37.9%)が最も多く、次いで**工場・事業場**(同27.8%)となっています(環境省：令和3年度騒音規制法等施行

図1　騒音・振動・悪臭に係る苦情件数の推移

注：2018年度までは、2003年度から2018年度までの悪臭苦情件数について、
　　苦情発生年度に苦情処理が完結しなかったものについては、翌年度も苦情

　　年度発生分のみ集計。
資料：環境省「騒音規制法施行状況調査」、「振動規制法施行状況調査」、「悪臭
　　　防止法施行状況調査」より作成
［環境省：令和5年版環境白書・循環型社会白書・生物多様性白書］

状況調査の結果について）。また、振動（4,207件）については
**建設作業**（全体の69.0％）が最も多く、次いで**工場・事業場**（同
16.6％）が多くなっています（環境省：令和3年度振動規制法等
施行状況調査の結果について）。

### ❸ 騒音の環境基準の達成状況
#### ●騒音に係る環境基準の達成状況

　一般地域（道路に面する地域以外の地域）における騒音の環
境基準の適合状況※は、2021（令和3）年度では全測定地点で
**89.5％**、地域の騒音状況をマクロに把握するために必要な地
点で**89.6％**、騒音に係る問題を生じやすい地点等で89.3％と
なっています（環境省：令和5年版環境白書・循環型社会白書・
生物多様性白書）。

※：**適合状況**
騒音規制法等施行状況
調査では、「適合状況」
という言葉を使ってい
るが、意味としては達
成状況と同じである。

　道路に面する地域における騒音の環境基準の達成状況は、2021（令和3）年度において、昼間・夜間のいずれか又は両方で環境基準を超過していたのは**5.4%**でした。このうち幹線交通を担う道路に近接する空間における住居等のうち、昼間・夜間のいずれか又は両方で環境基準を超過していたのは**8.8%**でした（環境省：令和5年版環境白書・循環型社会白書・生物多様性白書）。

### ●航空機騒音に係る環境基準の達成状況

　航空機騒音に係る環境基準の2021（令和3）年度の達成状況は、全測定地点の**87.9%**でした（環境省：令和5年版環境白書・循環型社会白書・生物多様性白書）。

### ●新幹線鉄道騒音に係る環境基準の達成状況

　新幹線鉄道騒音については、2021（令和3）年度においては測定地点の**55.5%**の地点で達成していました（環境省：令和5年版環境白書・循環型社会白書・生物多様性白書）。東海道・山陽・東北・上越新幹線沿線では、主に住居地域を中心にしておおむね地域類型Ⅱ※の基準である75dB以下が達成されていました。新幹線鉄道振動については振動対策指針値がおおむね達成されています。

※：地域類型Ⅱ
地域類型Ⅰ：主として住居の用に供される地域
地域類型Ⅱ：商工業の用に供される地域等Ⅰ以外の地域で通常の生活を保全する必要がある地域
地域類型は都道府県知事が指定する。

### ４ 騒音・振動対策

### ●工場・事業場及び建設作業による騒音・振動対策

　工場等での技術的な騒音対策では遮音（壁・窓等）、吸音（屋内騒音の低減）、遮蔽（塀）や消音器によるものが、振動対策では基礎による対策、距離減衰の利用、弾性支持（ばねによる防振）が主として行われています。

### ●自動車交通騒音・振動対策

　自動車交通騒音・振動問題を抜本的に解決するために、自動

車単体の構造の改善による騒音の低減等の発生源対策、交通流対策、道路構造対策、沿道対策等の諸施策が総合的に推進されています。

自動車単体から発生する騒音を減らすために、加速走行騒音、定常走行騒音、近接排気騒音の3種類について規制が実施されてきましたが、自動車単体から発生する騒音の一層の低減のため、中央環境審議会から、2015（平成27）年7月に「今後の自動車単体騒音低減対策のあり方について」（第三次答申）が答申され、これを踏まえて同年10月に「自動車騒音の大きさ許容限度（「1975年9月環境庁告示第53号」」が一部改正されました。

### ◉航空機騒音対策

「航空機騒音に係る環境基準について」の一部が改正され、新たな評価指標が採用され、2013（平成25）年4月から施行されています。

### ◉鉄道騒音・振動対策

鉄道騒音・振動対策として、防音壁のかさ上げ、改良型の防音壁の設置、レール削正の深度化、バラストマットの施設、低騒音型車両の開発等がこれまで実施されてきました。

### ◉近隣騒音対策

営業騒音、拡声機騒音、生活騒音等のいわゆる近隣騒音は、騒音に係る苦情全体の**約16.4％**を占めています（環境省：令和5年版環境白書・循環型社会白書・生物多様性白書）。近隣騒音対策は各人のマナーやモラルに期待するところが大きいことから、近隣騒音防止ポスター・カレンダーデザインを一般公募して普及啓発活動が行われています。各地方公共団体においても取組みが進められ、深夜騒音対策や拡声機騒音については条例等により規制が行われています。

## ●低周波騒音対策

人の耳には聞き取りにくい低い周波数の音が、ガラス窓、戸、障子を振動させたり、頭痛、めまい、いらいらした気分を引き起こすといった苦情があります。このような低周波問題改善を図るために、低周波音対応事例を集めたり、低周波音の感じ方や不快感に関する調査及び低周波音の理解を深めるためや問題に対応するための知識・技術の啓蒙普及活動が行われています。また、**風力発電施設**については、近年設置数が増加していること、騒音・低周波音による苦情が発生していることなどから、その実態の把握と知見の充実が求められており、風力発電施設等の低周波音の人への環境評価に関する研究が進められ、騒音・低周波対策を適切に調査、予測、評価する手法についても検討されています。

### ✓ ポイント

①騒音関係の苦情件数の多い順番（2021（令和3）年度は❶建設作業、❷工場・事業場）と振動関係の苦情件数の多い順番（2021（令和3）年度は❶建設作業、❷工場・事業場）を記憶しておく。
②試験対策にあたっては当該年度のデータで覚える。

# 練習問題

問11 環境省の平成24年度騒音規制法施行状況調査に関する記述として，誤っているものはどれか。

(1) 営業騒音，拡声機騒音，生活騒音等のいわゆる近隣騒音は，騒音に係る苦情全体の約20%を占めている。

(2) 騒音に対する発生源別苦情件数は建設作業が最も多い。

(3) 新幹線鉄道騒音の環境基準適合状況は悪化の傾向にある。

(4) 拡声機騒音については，多くの都道府県で条例が制定されている。

(5) 一般地域における騒音の環境基準の全測定地点の適合率は，航空機騒音に係る環境基準の適合率より高い。

**解説**

新幹線鉄道騒音に係る環境基準適合率は「改善の傾向」にあり、2012（平成24）年度は60%の地点で達成していますので、「悪化の傾向にある」は誤りです。

環境基準達成率や傾向は、対象年度によって大きく変わることもあるので、当該年度の『新・公害防止の技術と法規』（又は『環境白書・循環型社会白書・生物多様性白書』）の数字を必ず確認しておいてください。

正解 >> （3）

# 5-5 廃棄物問題

廃棄物の排出状況、廃棄物処理法について解説します。一般廃棄物、産業廃棄物の違い、おおよその年間排出量について理解しておきましょう。

## 1 一般廃棄物

### ◉排出量の状況

我が国の**一般廃棄物**※（ごみ）の排出量は、2021（令和3）年度において総排出量は4,095万トン（前年度 4,167万トン）であり、**国民1人1日当たり890 g**でした。同年、全国の市町村で実施されたごみ処理の状況は、ごみの総排出量**4,095万トン**のうち、総処理量（中間処理量＋直接資源化量＋直接最終処分量）は3,942万トンで、そのうち焼却、破砕・選別等による中間処理量は3,719万トンで、中間処理後に再生利用された量（467万トン）と直接資源化量（189万トン）及び集団回収量（159万トン）を合計した総資源化量は816万トンであった。中間処理されずに直接最終処分された量は34万トンで、直接埋立率は、ごみ総処理量の0.9％となっています。

## 2 産業廃棄物

### ◉産業廃棄物の定義と事業者の処理責任

**産業廃棄物**※とは、事業活動に伴って生じた廃棄物のうち、法令で定められた「①燃え殻、②汚泥、③廃油、④廃酸、⑤廃アルカリ、⑥廃プラスチック類、⑦紙くず、⑧木くず、⑨繊維くず、⑩動植物性残渣、⑪ゴムくず、⑫金属くず、⑬ガラスくず、コンクリートくず及び陶磁器くず、⑭鉱さい、⑮がれき類、⑯動物のふん尿、⑰動物系固形不要物、⑱動物の死体、⑲ばいじん、⑳前述の19種類の産業廃棄物を処分するために処理したもの」

※：一般廃棄物
廃棄物処理法では、「一般廃棄物」とは、産業廃棄物以外の廃棄物と定義されている。
一般廃棄物は地方公共団体も処理の責任を負っている。

※：産業廃棄物
産業廃棄物のうち、⑦紙くず、⑧木くず、⑨繊維くず、⑩動植物性残渣、⑯動物のふん尿、⑰動物系固形不要物、⑱動物の死体は、排出する業種等が限定されている。例えば、紙くずは、建設業、パルプ製造業、製紙業、紙加工品製造業、新聞業、出版業、製本業、印刷物加工業から排出される紙くずに限定されている。これら以外の業種から排出する場合は、事業系一般廃棄物としての処理となる。

の20種類と**輸入廃棄物**の合計21種類をいいます。

また、爆発性、毒性、感染性その他の人の健康又は生活環境に係る被害を生ずるおそれがある性状を有するものとして政令で定めるものを**特別管理産業廃棄物**※といい、収集から処分までのすべての過程において厳重に管理することとされています。

事業者は、その事業活動に伴って生じた廃棄物を自らの責任において適正に処理しなければならないと、事業者の責務として定められています(法第3条)。

※：特別管理産業廃棄物
一般廃棄物、産業廃棄物ともに特別管理廃棄物がある。

## ◉排出量の状況

我が国の産業廃棄物の総排出量は、ここ数年減少傾向にありますが、2020(令和2)年度の産業廃棄物の総排出量は**約3億7,382万トン**で、前年度に比べて1,214万トン減少しています。産業廃棄物の業種別排出量を図1に示します。これによると、業種別に排出量が多い順は、

①**電気・ガス・熱供給・水道業**(総排出量の26.6%)

②**農業・林業**(同22.0%)

③**建設業**(同20.9%)

で、この3業種で全体の約7割を占めています。また、種類別の排出量は、**汚泥**が最も多く約1億6,364.8万トン(総排出量の43.8%)、次いで**動物のふん尿**約8,185.5万トン(同21.9%)、**がれき類**約5,971.3万トン(同16.0%)となっており、この3種類の廃棄物で総排出量の約8割に達しています。

## ◉処理の状況

2020(令和2)年度における産業廃棄物の処理状況は、総排出量の約3億7,382万トンのうち中間処理されたものは全体の78.2%(約2億9,262万トン)、直接再生利用(リサイクル)されたものは全体の20.5%(約7,681万トン)であり、中間処理後再生利用(リサイクル)されたものを含むと全体の53.2%(約1億9,902万トン)に達し、最終処分されたものは全体の2%(約

図1　産業廃棄物の業種別排出量（2020年度）

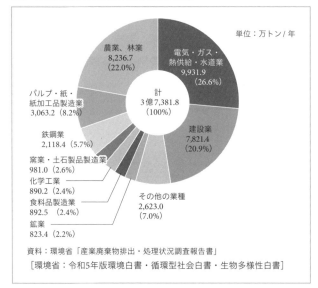

単位：万トン/年

農業、林業
8,236.7
（22.0%）

電気・ガス・
熱供給・水道業
9,931.9
（26.6%）

パルプ・紙・
紙加工品製造業
3,063.2（8.2%）

計
3億7,381.8
（100%）

鉄鋼業
2,118.4（5.7%）

建設業
7,821.4
（20.9%）

窯業・土石製品製造業
981.0（2.6%）
化学工業
890.2（2.4%）
食料品製造業
892.5　（2.4%）
鉱業
823.4（2.2%）

その他の業種
2,623.0
（7.0%）

資料：環境省「産業廃棄物排出・処理状況調査報告書」
［環境省：令和5年版環境白書・循環型社会白書・生物多様性白書］

909万トン）となっています。種類別に再生利用率を比較すると、**再生利用率が高いもの**は、**がれき類**（96.4％）、**金属くず**（95.8％）、**動物のふん尿**（主として堆肥等の肥料原料として再生利用されている）（95.0％）、**鉱さい**（91.9％）の順であり**再生利用率が低いもの**は、**汚泥**（7.1％）、**廃アルカリ**（17.9％）、**廃酸**（29.1％）、廃油（44.2％）等となっています。また、最終処分（埋立処分等）の比率が高い廃棄物の順は、燃え殻（21.5％）、ゴムくず（19.0％）、廃プラスチック（15.7％）、ガラスくず、コンクリートくず及び陶磁器くず（15.4％）、繊維くず（13.1％）、等となっています。

◉マニフェスト制度

　廃棄物の不法投棄を未然に防ぎ、適正処理を徹底するため、廃棄物処理法が改正され、1998（平成10）年12月からすべての産業廃棄物の処理に**マニフェスト（産業廃棄物管理票）**が義務付

けられ、2001(平成13)年4月から改正強化されています。マニ
フェスト制度とは、排出事業者が廃棄物の処理を委託するとき、
マニフェストに産業廃棄物の種類、数量、運搬業者名、処分事
業者名等を記入し、**産業廃棄物の排出から最終処分までの流れ
を確認できる仕組み**です。

---

### ☑ ポイント

①ごみ(一般廃棄物)の国民1人1日当たりの排出量は890g。
②産業廃棄物の業種別及び種類別の産業廃棄物の排出量の順位を覚
　えておく(当該年度のデータを記憶する)。
③マニフェスト制度が義務付けられている。

# 練習問題

問13　2019(令和元)年度における産業廃棄物に関する記述として，誤っているものはどれか。

(1)　産業廃棄物の総排出量は約3億8600万tで，前年度に比べて700万tほど増加した。

(2)　排出量が多い3業種は，「電気・ガス・熱供給・水道業」，「建設業」，「パルプ・紙・紙加工品製造業」であった。

(3)　汚泥，動物のふん尿，がれき類の排出量合計は，全排出量の約8割であった。

(4)　再生利用率が高い廃棄物は，がれき類，金属くず，動物のふん尿などであった。

(5)　最終処分の比率が最も高い廃棄物は，燃え殻であった。

**| 解　説 ▶**

　産業廃棄物の排出量を業種別にみると、排出量が多い3業種は、「電気・ガス・熱供給・水道業」、「建設業」、「農業・林業」となっている。この上位3業種で総排出量の約7割を占めている(下図)。

　したがって、(2)の「パルプ・紙・紙加工品製造業」が誤りである。

正解 >> (2)

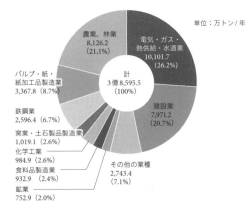

単位：万トン／年

電気・ガス・熱供給・水道業
10,101.7
(26.2%)

農業、林業
8,126.2
(21.1%)

計
3億8,595.5
(100%)

建設業
7,971.2
(20.7%)

パルプ・紙・紙加工品製造業
3,367.8 (8.7%)

鉄鋼業
2,596.4 (6.7%)

窯業・土石製品製造業
1,019.1 (2.6%)

化学工業
984.9 (2.6%)

食料品製造業
932.9 (2.4%)

鉱業
752.9 (2.0%)

その他の業種
2,743.4
(7.1%)

資料：環境省「産業廃棄物排出・処理状況調査報告書」

[環境省：令和4年版環境白書・循環型社会白書・生物多様性白書]

# 練習問題

問12　産業廃棄物として法律で定められていないものは，次のうちどれか。

(1)　燃え殻

(2)　汚泥

(3)　し尿

(4)　ゴムくず

(5)　ガラスくず及び陶磁器くず

## 解　説

　産業廃棄物とは、事業活動に伴って発生した廃棄物のうち、廃棄物処理法第2条第4項及び同法施行令第2条に規定されている19種類とこの19種類を処理したもの及び輸入廃棄物の合計21種類です。この21種類に該当しないものは一般廃棄物となります。(3)のし尿は19種類のリストに含まれていないので、一般廃棄物となります。

正解 >> （3）

# 練習問題

問12　平成23年度の産業廃棄物の業種別排出量として，次のうち最も排出量が多い業種はどれか。

(1)　鉄鋼業

(2)　建設業

(3)　農業・林業

(4)　鉱業

(5)　食料品製造業

**解 説**

2011（平成23）年度の産業廃棄物の業種別排出量は、排出量が多い順に①電気・ガス・熱供給・水道業（25.1％）、②農業・林業（22.2％）、③建設業（19.8％）です。したがって、選択肢の中で最も排出量が多い業種は(3)の農業・林業です。

産業廃棄物の発生量の上位3業種は、ここ数年は変動がありませんが、対象年度によって変わることもあるので、当該年度のデータを確認しておきましょう。なお、電気・ガス・熱供給・水道業からの排出量が多いのは、水道業には上水道業と下水道業が含まれ、浄水処理や下水処理において多量の汚泥が発生するからです。汚泥の排出量は、ろ過機などで水分を絞る前の水分を含んだ状態で集計されています。

正解 >> （3）

# 練習問題

問13 廃棄物に関する記述として，誤っているものはどれか。

(1) 産業廃棄物とは，事業活動に伴って生じた廃棄物のうち，燃え殻，汚泥，廃油，廃酸，廃アルカリ，廃プラスチック類その他政令で定める廃棄物及び輸入された廃棄物をいう。

(2) 平成24年度における産業廃棄物の総排出量は約3億8千万トンであり，ここ数年減少傾向にある。

(3) 事業者は，その事業活動に伴って生じた廃棄物を自らの責任において適正に処理しなければならない。

(4) 都道府県は区域内の一般廃棄物の処理責任を負う。

(5) 一般廃棄物には，し尿も含まれる。

## 解 説

(4)廃棄物処理法では、産業廃棄物は排出事業者の責任で処理しなければなりません。一方、一般廃棄物は、産業廃棄物の分類に該当しないすべての廃棄物が該当し、その処理は行政の責任となっています。この「行政」が「都道府県」なのか「市町村長」なのかが問われた問題です。家庭から排出するごみの回収をしているのは「市町村長」であることを思い出すと「都道府県」が誤りであることに容易に気づきます。廃棄物処理法第6条の2に「市町村は、一般廃棄物処理計画に従って、その区域内における一般廃棄物を生活環境の保全上支障が生じないうちに収集し、これを運搬し、及び処分しなければならない。」と規定されています。

正解 >> (4)

# 5-6 化学物質問題

化学物質管理のための法律や制度について解説します。PRTR制度やダイオキシン類問題の概要を理解しておきましょう。

## ■1 化学物質管理の動向

　政府は、化学物質のリスクを2020（令和2）年までに最小化する国際的な化学物質管理のための戦略的アプローチ（**SAICM**※）に沿った取組みをレビューし、SAICM国内実施計画を取りまとめました。取組みの主なものは、「特定化学物質の環境への排出量の把握等及び管理の改善の促進に関する法律（化管法）」に基づく制度の見直し等を挙げ、第四次環境基本計画の重点分野として「包括的な化学物質対策の確立と推進のための取組み」を位置づけています。

## ■2 化学物質排出移動量届出制度

　わが国ではPRTR制度の考え方に沿って、1999（平成11）年7月に化管法を制定し、2000（平成12）年から施行されました。

　この法律では、化学物質の製造・使用事業者に対し、**第1種指定化学物質**※について事業所から環境への排出量及び外部に移動した廃棄物等の量の年度報告を義務付けました。

　また、我が国では化学物質利用の業種が幅広いことに鑑み、指定化学物質等取扱事業者（業として指定化学物質を製造する者、使用する者、取り扱う者）が他の事業者に製品等（**第1種指定化学物質**及び**第2種指定化学物質**※等がある含有量以上含まれている製品）を提供する場合には、該当化学物質の性状及び取扱方法を記載したシート（**安全データシート：SDS**）を作成させ、製品利用者にそのシートを提供することを法的に義務付け

※：SAICM

Strategic Approach to International Chemicals Managementの頭文字をとった略称。

※：**第1種指定化学物質**

化管法において、1年間の排出量の届出（PRTR）とSDSの添付が義務付けられている物質。人や生態系への有害性（オゾン層破壊性を含む）があり、環境中に広く存在する（暴露可能性がある）と認められる物質として、計515物質が指定されている。そのうち、発がん性、生殖細胞変異原性及び生殖発生毒性が認められる物質は「特定第1種指定化学物質」として23物質が指定されている。

※：**第2種指定化学物質**

化管法において、SDSの添付のみが義務付けられている物質で、現在134物質が指定されている。

ました。

　また、事業者に対しては「化学物質管理指針」に沿って自主管理の促進と、国民の理解を得る努力（リスクコミュニケーション）を規定し、各年度の環境への排出量を毎年6月30日までに届け出ることを義務付けました。

　2007（平成19）年に見直しが実施され、最新の知見（環境中での検出状況、環境リスクの評価結果等）と国際的なルール（**化学品の分類及び表示に関する世界表示システム（GHS）**）との整合に向け、対象物質は第1種指定化学物質（462物質）、第2種指定化学物質（100物質）となりました。また、対象業種として「医療業」が追加されました。

　さらに、2021（令和3）年に2度目の見直しが行われ、対象物質の追加・削除、第1種と第2種の入替えを含め、第1種指定化学物質が515物質に、第2種指定化学物質が134物質に増え、合計649物質が対象物質となり、2023（令和5）年4月から施行されています。

　化学物質のリスクを2020（令和2）年までに最小化する「国際的な化学物質管理のための戦略的アプローチ（SAICM：Strategic Approach to International Chemicals Management）」については、第五次環境基本計画（2018（平成30）年4月閣議決定）において、「包括的な化学物質対策に関する取組」の中で、引き続き着実に実施するとされています。

### 3 ダイオキシン類問題

　**ダイオキシン類対策特別措置法**[※]では、次の3つを「ダイオキシン類」と定義し対策を行っています。

　①**ポリ塩化ジベンゾ-パラ-ジオキシン（PCDD）**[※]
　②**ポリ塩化ジベンゾフラン（PCDF）**[※]
　③**コプラナーポリ塩化ビフェニル（コプラナー PCB）**[※]

　また、同法に基づき耐容一日摂取量（TDI：Tolerable Daily Intake）＝4pg-TEQ/（kg体重・日）[※]が設定されています。

---

**※：ダイオキシン対策特別措置法**
同法に基づき、ダイオキシン類による大気の汚染、水質の汚濁（水底の底質の汚染を含む。）及び土壌の汚染に係る環境基準が定められている。基準値は大気0.6pg-TEQ/$m^3$以下、水質（水底の底質を除く。）1pg-TEQ/L以下、水底の底質150pg-TEQ/g以下、土壌1,000pg-TEQ/g以下である。

**※：PCDD、PCDF、コプラナー PCB**
PCDDは75種類、PCDFは135種類、コプラナーPCBは十数種類の異性体がある（ダイオキシン類のうち毒性があると見なされているのは29種類）。

**※：TEQ**
TEQ（毒性等量：Toxicity Equivalency Quantity又はToxic Equivalents）は、ダイオキシン類の濃度（毒性の強さ）を表示する際に用いられる記号。ダイオキシンは、通常は混合物として環境中に存在するので、摂取したダイオキシンの毒性の強さは、各同族体の量にそれぞれの毒性等価係数（TEF：Toxic Equivalent Factor）を乗じた値を総和した毒性等量として表し評価している。

　2021（令和3）年の排出量（環境省：ダイオキシン類の排出量の目録（排出インベントリー）（2023（令和5）年3月））は98 〜100g-TEQ/ 年で目標量（176g-TEQ/ 年）を下回っており、目標達成を維持しています。

## 4 内分泌かく乱物質

　問題視され始めたのは、『Our Stolen Future』（奪われし未来）という著書が1996年に米国で出版され、翌年同書の日本語訳が出版されたときに始まります。環境庁（当時）は1998（平成10）年に化学物質の生体系調査計画（SPEED'98）を立案し、内分泌かく乱作用を有すると疑われる物質として67物質（その後65物質に改訂）を選定しました。これによって社会に強い不安が高まりました。しかし、対象とされた個々の化学物質の検出状況と生殖異常の間には、明確な因果関係は見出されませんでした。また、疫学的調査においても一般環境における暴露状況と健康影響として懸念された事象との関連性は見出されませんでした。その後、SPEED'98で作り上げた物質リストは取り下げられました。

# 練習問題

問14 ダイオキシン類に関する記述として，誤っているものはどれか。

(1) ダイオキシン類対策特別措置法で対象としているものは，ポリ塩化ジベンゾ–パラ–ジオキシン，ポリ塩化ジベンゾフラン，コプラナーポリ塩化ビフェニルである。

(2) ポリ塩化ジベンゾ–パラ–ジオキシンには，塩素の数や付く位置によって75種類の化合物がある。

(3) TEQ は，毒性等量といわれる。

(4) 2,3,7,8-四塩化ジベンゾ–パラ–ジオキシン(2,3,7,8-TeCDD)は，脂溶性である。

(5) 平成24年の排出総量は，国のダイオキシン対策推進基本指針に基づく目標を依然として達成していない。

### 解 説

　ダイオキシン対策推進基本方針(1999(平成11)年3月30日策定)では、「今後4年以内に全国のダイオキシン類の総排出量を平成9年に比べ約9割削減する」との目標を立てています。2003(平成15)年のダイオキシン類排出総量は1997(平成9)年比で約95％削減され、この目標は達成されました。その後も年々排出総量は減少し、平成24年度は平成9年比で約98％減少となっています。したがって、(5)の「達成していない」は誤りです。

正解 >> （5）

# 練習問題

問13　(ア)～(オ)の略語と，その内容を説明するa～eの語句の組合せとして，正しいものはどれか。

　(ア) SAICM　　(イ) PRTR　　(ウ) MSDS　　(エ) GHS　　(オ) TEQ

　　a：国際的な化学物質管理のための戦略的アプローチ
　　b：化学物質排出移動量届出
　　c：化学物質等安全データシート
　　d：化学品の分類及び表示に関する世界調和システム
　　e：毒性等量

|  | (ア) | (イ) | (ウ) | (エ) | (オ) |
|---|---|---|---|---|---|
| (1) | a | b | c | d | e |
| (2) | c | d | a | b | e |
| (3) | a | b | e | c | d |
| (4) | c | e | b | a | d |
| (5) | e | d | c | b | a |

## 解説

　略号と名称の組合せを問う比較的出題頻度の高い問題です。それぞれの略号の内容を合わせて記憶しておくと間違えることが少なくなります。正しい組合せは、

（ア）SAICM　―　a：国際的な化学物質管理のための戦略的アプローチ
（イ）PRTR　―　b：化学物質排出移動量届出
（ウ）MSDS　―　c：化学物質等安全データシート
（エ）GHS　―　d：化学品の分類及び表示に関する世界調和システム
（オ）TEQ　―　e：毒性等量

です。なお、（ウ）MSDS（c：化学物質等安全データシート）は、2012（平成24）年にJISが改訂され、名称もMSDSからSDS（安全データシート）に変更されています。

正解 >> （1）

# 第6章

# 環境管理手法

## 6-1 環境影響評価

環境影響評価の対象事業と実施方法のポイントについて解説します。環境影響評価の対象となる事業と手続きの流れを理解しておきましょう。

### ■1 環境影響評価法の制定の経緯

1981（昭和56）年4月、国として統一的な手続きで環境影響評価を行うことを目的に環境影響評価法が国会に提出されましたが、1983（昭和58）年の衆議院の解散に伴い廃案となりました。1984（昭和59）年8月、旧法案をベースとする「環境影響評価の実施について」の閣議決定を行い、国が実施し、又は免許等で関与する道路、ダム、飛行場の建設などの事業については統一的なルールで環境影響評価（**閣議アセスメント**）を行うことになりました。閣議アセスメントに基づく手続きは、事業者は指針に従って、事業が環境に及ぼす影響について事前に調査、予測及び評価を行って**環境影響評価準備書**を作成し、これを関係地域の都道府県知事に送付し、併せて住民に対して公示・閲覧、説明会の開催を行い、関係住民や都道府県知事等の意見を聴いて**環境影響評価書**を作成することと定めていました。また、事業の免許等を行う者は環境影響評価書の結果を配慮することとされていました。

その後、1997（平成9）年6月に環境影響評価法が制定され、2年後の1999（平成11）年から全面施行されました。その後、2011（平成23）年に改正（計画段階での「配慮書」の作成等）され現在に至っています。

### ■2 環境影響評価の基本理念

持続可能な経済社会の構築を図るため、環境の保全の基本理

念とこれに基づく基本的施策の総合的な枠組みを示すものとして環境基本法が制定され、環境の保全に関する基本的な施策のひとつとして環境基本法第20条で環境影響評価の推進が位置付けられました。大規模な開発事業等の実施前に、事業者自らその環境影響について評価を行い、環境の保全に配慮する環境影響評価は、環境悪化を未然に防止し、持続可能な社会を構築していく上で極めて重要な施策です。

　環境影響評価のとらえ方には、①事業の計画や実施の決定の段階において、環境の保全に配慮することを目的に、環境影響の評価結果を環境情報として活用するための手続きとして位置付ける立場と、②事業の許認可に際して、環境影響の評価結果に拘束力を認める立場があります。環境影響評価法は後者の立場を踏まえたものです。

### 3 環境影響評価の実施
#### ◉対象事業
　環境影響評価法は、道路、ダム、鉄道、飛行場、発電所、埋め立て・干拓、土地区画整理事業等の面的開発事業のうち、規模が大きく環境に著しい影響を及ぼすおそれがあり、かつ、国が実施し、又は許認可等を行う事業について、環境影響評価の手続きの実施を義務付けています。表1が環境影響評価の対象の13事業の一覧表です。

#### ◉手続き上の特徴
　環境影響評価の手続き上の特徴は大きく5つあります。
　第一は、必ず環境影響評価を実施しなければならない**第1種事業**と、**スクリーニング手続き**によって、環境影響評価の実施の要否を判断する**第2種事業**に分けられている点です。
　第二は、第1種事業を実施しようとする場合、事業の位置、規模や施設の位置・構造などの立案段階において、環境の保全のために配慮すべき事項（計画段階配慮事項）について検討し、

表1　環境アセスメントの対象事業一覧

| 対象事業 | | 第 1 種事業<br>(必ず環境アセスメントを行う事業) | 第 2 種事業<br>(環境アセスメントが必要かどうかを個別に判断する事業) |
|---|---|---|---|
| 1　道路 | | | |
| | 高速自動車国道 | すべて | ― |
| | 首都高速道路など | 4 車線以上のもの | ― |
| | 一般国道 | 4 車線以上・10km 以上 | 4 車線以上・7.5km 〜 10km |
| | 林道 | 幅員 6.5m 以上・20km 以上 | 幅員 6.5m 以上・15km 〜 20km |
| 2　河川 | | | |
| | ダム、堰 | 湛水面積 100ha 以上 | 湛水面積 75ha 〜 100ha |
| | 放水路、湖沼開発 | 土地改変面積 100ha 以上 | 土地改変面積 75ha 〜 100ha |
| 3　鉄道 | | | |
| | 新幹線鉄道 | すべて | ― |
| | 鉄道、軌道 | 長さ 10km 以上 | 長さ 7.5km 〜 10km |
| 4　飛行場 | | 滑走路長 2,500m 以上 | 滑走路長 1,875m 〜 2,500m |
| 5　発電所 | | | |
| | 水力発電所 | 出力 3 万 kW 以上 | 出力 2.25 万 kW 〜 3 万 kW |
| | 火力発電所 | 出力 15 万 kW 以上 | 出力 11.25 万 kW 〜 15 万 kW |
| | 地熱発電所 | 出力 1 万 kW 以上 | 出力 7,500kW 〜 1 万 kW |
| | 原子力発電所 | すべて | ― |
| | 太陽電池発電所 | 出力 4 万 kW 以上 | 出力 3 万 kW 〜 4 万 kW |
| | 風力発電所 | 出力 5 万 kW 以上 | 出力 3.75 万 kW 〜 5 万 kW |
| 6　廃棄物最終処分場 | | 面積 30ha 以上 | 面積 25ha 〜 30ha |
| 7　埋立て，干拓 | | 面積 50ha 超 | 面積 40ha 〜 50ha |
| 8　土地区画整理事業 | | 面積 100ha 以上 | 面積 75ha 〜 100ha |
| 9　新住宅市街地開発事業 | | 面積 100ha 以上 | 面積 75ha 〜 100ha |
| 10　工業団地造成事業 | | 面積 100ha 以上 | 面積 75ha 〜 100ha |
| 11　新都市基盤整備事業 | | 面積 100ha 以上 | 面積 75ha 〜 100ha |
| 12　流通業務団地造成事業 | | 面積 100ha 以上 | 面積 75ha 〜 100ha |
| 13　宅地の造成の事業（「宅地」には，住宅地，工場用地も含まれる） | | | |
| | 住宅・都市基盤整備機構 | 面積 100ha 以上 | 面積 75ha 〜 100ha |
| | 地域振興整備公団 | 面積 100ha 以上 | 面積 75ha 〜 100ha |
| ○港湾計画 | | 埋立・掘込み面積の合計 300ha 以上 | |
| 港湾計画については、港湾環境アセスメントの対象になる。 | | | |

［環境省：環境影響評価情報支援ネットワークホームページ］（2022 年 4 月 1 日改定）

その結果をまとめた「**配慮書**」を作成しなければならない点です（第2種事業は任意）。配慮書の作成は、2011（平成23）年の改正で義務付けられました。

　第三は、**スコーピング**と呼ばれる対象事業に係る環境影響評価の項目及び調査・予測・評価の手法の絞り込みです。

　第四は**横断条項**です。許認可者が対象事業の許認可等の審査に当たり、環境影響評価の結果を横断的に反映させることを求めています。横断条項は、環境影響評価の実効性を担保する観点から極めて有意義です。

　第五は環境影響評価の項目と評価の視点です。従来型の公害だけではなく、動植物、生態系といった生物の多様性の確保及び自然環境の保全や、景観、ふれあい活動の場といった**人と自然の豊かなふれあいに係る要素**についても調査項目に加えてあります。

　評価に係る基本的な考え方については、環境基準等の基準達成がなされているか否かではなく、事業者により実行可能な範囲内で環境影響が回避又は低減がなされているものであるか否かの観点に重点が置かれており、基準達成型アセスメントではなく**ベスト追求型アセスメント**とされています。

# 練習問題

問14 環境影響評価の実施の必要性を個別に判定するスクリーニング手続の対象とな
る可能性のある事業はどれか。

(1) 高速自動車国道

(2) 首都高速道路(4車線以上)

(3) 新幹線鉄道

(4) 飛行場

(5) 原子力発電所

**| 解 説 ▶**

　表1にあるように、高速自動車国道、新幹線鉄道、原子力発電所はすべての事業
が第1種事業とされています。また、首都高速道路も4車線以上の場合はすべて第
1種事業となります。(4)の飛行場については、滑走路の長さによって第2種事業に
なるものがありますのでスクリーニング手続きの対象となる可能性があります。

正解 >> (4)

第1章
第2章
第3章
第4章
第5章
第6章
第7章

## 6-2 環境マネジメント

主に環境マネジメントシステム(EMS)について解説します。PDCAサイクルの意味や流れを理解しておきましょう。

### 1 マネジメントと環境マネジメント

広辞苑では「マネージ(manage)」とは、「経営すること、管理すること、対処すること」とあり、「**マネジメント**(management)」とは、「(事業などの)管理、経営」と説明されています。また、JIS Q 9000：2006では、**運営管理、運用管理**と呼ばれており、「**組織を指揮し、管理するための調整された活動**」と定義されています。

組織のマネジメントは、組織のマネージャーと全構成員とが責任を持って自発的に自己責任の問題として推進するのが通常です。しかし、組織の仕事の流れの中でアウトプット(最終製品やサービスのみならず、中間的なアウトプットを含む)は、当該組織以外の様々な利害関係者に影響を及ぼします。特に組織の仕事の流れの中で、環境に対する影響が直接的あるいは間接的に生じる可能性のある部分(作業、設備、取扱物質、エネルギーなど)を組織の「**環境側面**」と呼び、著しい環境影響が生じる組織の環境側面を切り出して、適切なマネジメントを行うのが環境マネジメントです。JIS Q 14001：2015※では、環境側面を「**環境と相互に作用する可能性のある、組織の活動、製品又はサービスの要素**」と定義し、著しい環境側面は「著しい環境影響を与えるか又は与える可能性がある」と注釈しています。

※：ISO14001：2015
ISO14001は1996年に発行された。2004年にISO9001(品質マネジメントシステム)との整合性の調整を目的にマイナーな改訂が行われた。2015年9月15日には、すべてのマネジメントシステムで整合性を確保するために開発された共通要素(MSS: Management System Standard(マネジメントシステム標準))に合わせた2015年版規格が発行している。

## 2 環境マネジメントシステム

### ● マネジメントシステム

　マネジメントシステムとは、一般的には「組織を管理する制度や方式」のことです。有能な個人が、そのノウハウに基づいてマネジメントを行うことはよくみられることですが、このような属人的なマネジメントはその個人が組織からいなくなればノウハウが継承されず業務が滞る危険性が大きくなります。組織の経営者（層）にとってみれば、担当者が交代しても同じように確実に業務が遂行されることを担保し、確実に実行されていることを確認できる仕組みがないと安心して経営に専念できません。そのために導入されるのが**マネジメントシステム**です。すなわち、**組織の合理的活動を支える体系的で組織的な管理方法をマネジメントシステム**といいます。マネジメントシステムは、環境に限ったことではなく、品質や労働安全衛生、エネルギー、情報技術など様々な分野でつくられています。

### ● PDCA サイクル

　マネジメントシステムは、**PDCA（Plan － Do － Check － Act）サイクル**と呼ばれる管理システムで構築されています。

- **Plan**：目的の実現に有効と考えられる目標（組織のあるべき姿）を設定し、目標のより確実な実現に必要な系統的な行動とそれを支援する資源（人、もの、金）を計画します。
- **Do**：これらの計画に基づいて組織的な活動を行います。
- **Check**：活動の結果生じた「現在の姿」と計画時に設定した「あるべき姿」のかい離の有無を調べます。著しいかい離が認められる場合には（それがよい方向のかい離であっても）、その原因を分析・抽出します。
- **Act**：組織の姿を悪化させる要因を除去し、改善させる要因を定着させるように組織行動を「標準化」します。

　すなわち、**PDCA サイクルがきちんと回るようにする仕組みがマネジメントシステム**です。

 JIS Q 14001：2015では、環境マネジメントシステムは、「**マネジメントシステムの一部で、環境側面をマネジメントし、順守義務を満足し、リスク及び機会に取り組むために用いられるもの**」と定義されています。特に、環境マネジメントでは、組織の環境側面のマネジメントは、経営者（層）が安心する（内部保証）だけでなく、組織の活動から何らかの経済的影響・環境影響などを受けるすべての関係者（利害関係者という）に安心を与えるもの（外部保証）でなければなりません。

### ❸ マネジメントシステム規格

　国際規格であるISO（International Organization for Standardization：国際標準化機構）は、環境マネジメントにかかわる第207技術委員会（TC207）を1993（平成5）年に設置し、1996（平成8）年には、環境マネジメントシステムに関する要求事項を定めた**環境マネジメントシステム規格ISO 14001**を発行しました。品質マネジメントシステム規格との整合性の調整のため2004年に一度改訂されています。

　近年、マネジメントシステムは品質、環境のみならず、食品安全、労働衛生、リスク、個人情報保護、情報セキュリティー、苦情対応、企業の社会的責任など多様な分野で標準化が図られていますが、それぞれの分野ごとに独立したマネジメントシステムの考え方があるのではなく、基本的にマネジメントシステム自体の原理はひとつで、**マネジメントシステムの考え方を組織の活動において透明性が必要となる様々な分野に適用しよう**というのが本意です。このため、すべてのマネジメントシステム規格について、整合性の確保と両立性を向上させるために、マネジメントシステム規格が採用しなければならない「共通する要素」を定めた規格として、2012（平成24）年5月に**マネジメントシステム規格（MSS：Management System Standard）**が発行されています。すべてのマネジメントシステムは、この規格に規定されている共通要素に従って規格を再構成あるいは改訂

することが求められています。

### ◉マネジメントシステムの共通要素

　共通要素は図1に示す3つの項目からなり、「**共通構造**」(HLS：High Level Structure)はマネジメントシステムの上位構造で、規格の章立てやその順序が規定されています。「**共通テキスト**」はマネジメントシステム規格に共通して求められる「要求事項」で、付属書SL (Annex SL)に規定されています。また、規格の共通性の観点から「**共通する用語についての定義**」を定めています。ただし、それぞれの規格の目的を達成する上で特別に必要とされる部分については、MSSに追加して規格を作成することが認められています。

図1　マネジメントシステム規格の共通の要素

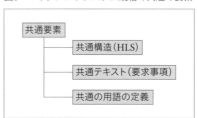

### ◉2015年の改訂規格

　環境マネジメントシステム規格についても、MSSに合わせた規格改訂が進められ、2015年9月15日にISO14001：2015として改訂規格が発行されました。これを受けて、同年11月20日に日本版のJIQ Q 14001：2015が発行されています。なお、品質マネジメントシステム規格についても、環境マネジメントシステムと同じ日にそれぞれISO 9001：2015とJIS Q 9001：2015が発行されています。

　ISO14001：2015の改訂規格は、次の点が大きな特徴となっています。

①戦略的な環境管理

・組織と環境の両方の便益のため、「組織の状況の理解についての新しい要求事項」と「利害関係者のニーズ及び期待※の環境マネジメントシステム（EMS）の運用計画への統合」が要求事項に追加されました。（**経営とリンクした環境活動の要求**）

②リーダーシップ

・システムの確実な運用を担保するために、**リーダーシップの役割をもつ者**（トップマネジメント等）の責任が新たに追加されました。

③環境保護

・組織への期待が、汚染の予防、持続可能な資源の利用、気候変動の緩和及び適応、生物多様性及び生態系の保護等の活動のコミットにまで拡大しました。

④環境パフォーマンス

・継続的改善の視点が、マネジメントシステムの改善から**環境パフォーマンスの改善**にシフトしています。

・組織の方針のコミットメントに従って、自ら設定したレベルまで対策を実施します。ただし、パフォーマンスの絶対的な向上（例えば、ある個別の数値目標達成後に、更に厳しい数値目標を設定して対策を実施することなど）が要求事項ではなく、**活動がパフォーマンスの向上につながっているか**を確認し、PDCA を回していくことが要求事項です。

⑤ライフサイクル

・考慮（可能な場合は管理）する環境側面の範囲が、資源の採取から、製品の使用や使用後の処理、廃棄にいたるライフサイクル全体の環境影響にまで拡大されています。ただし、ライフサイクルアセスメント※の実施は要求されていません。

※：利害関係者からのニーズ及び期待

利害関係者：具体的には、従業員、顧客、行政機関、周辺住民、消費者、出資者、保険業者、環境保護団体、一般大衆等、自社に関心を持つ全ての人を含む。

ニーズ及び期待：自社に対する要求事項

※：ライフサイクルアセスメント

ある製品・サービスのライフサイクル全体（資源採取―原料生産―製品生産―流通・消費―廃棄・リサイクル）又はその特定段階における環境負荷を定量的に評価する手法のこと。

⑥コミュニケーション

・コミュニケーション戦略の策定が、外部及び内部コミュニケーションの双方に同等の比重で追加されました。

・規制当局や利害関係者から求められる情報も考慮します。

⑦文書類

・ITの進化に合わせ、「文書」と「記録」は「文書化した情報」にまとめられました。

●**環境マネジメントシステム認証**

日本では環境マネジメントシステム認証は1995（平成7年）より開始され、最も多いときより4割近く減少しましたが、2024（令和6）年4月17日時点で12,674組織がISO 14001の認証を取得、継続しており、**件数的には世界のトップレベル**にあります。

また、認定機関である（公財）日本適合性認定協会（JAB）から、ISO14001の認証の審査登録を行う公式に認定されている「マネジメントシステム認証機関」は、2024（令和6）年4月時点で35機関となっています。これらの認証機関を認定するための国際規格として、ISO17021が発行され、2011（平成23）年1月に改訂されています。また、これに伴いJISも同年5月に改訂されました。これら第三者審査を行う能力を有する要員（Professional）としての環境マネジメントシステム審査員は、審査員補、審査員及び審査チームのリーダーを務めることのできる主任審査員に区分されます。システム審査員は、2019（令和元）年10月1日付で（一社）産業環境管理協会から審査員の評価登録業務を引き継いだ（一財）日本要員認証協会で審査登録されており、2019（令和元）年度で、主任審査員、審査員、審査員補の合計で4,311名が登録されています。

なお、組織のマネジメントシステムがマネジメントシステムの国際規格に適合していることを世の中に示す方法としては第三者による認証が最も多く採用されている方法ではありますが、ISO規格の枠組みの中では4つの方法※が規定されており、

※：4つの方法
①自己決定し、自己宣言する。
②利害関係者（顧客など）による規格への適合の確認。
③自己宣言について組織外部の人又はグループによる確認。
④外部機関による認証・登録。

一定の条件を整備した上で自己宣言するという方法もあります。環境マネジメントシステム規格ISO14001：2015でも、「序文」と「1.　適用範囲」にその旨が記されており、近年、第三者認証を取得して活動の実績を積んだ組織が自己宣言に移行するケースが増える傾向がみられます。

### ☑ ポイント

①マネジメントや環境マネジメントシステムに関する用語の意味を覚えておく。
②PDCAサイクルの手順や意味を覚えておく。
③2015（平成27）年9月にISO14001の改訂版が発行している。改訂規格の特徴である「リーダーシップ」と「ライフサイクルアセスメント」について十分理解しておく。

# 練習問題

問15　JISによるマネジメント及び環境マネジメントシステムに関する記述として，誤っているものはどれか。

(1)　マネジメントは，運営管理若しくは運用管理とも呼ばれている。

(2)　組織は，マネジメントのサイクルと呼ばれるPDCAサイクルを組織の日常活動の基本としなければならない。

(3)　PDCAのPでは，目標を設定し，目標のより確実な実現に必要な行動やリソースを起案する。

(4)　環境マネジメントシステムは，組織のマネジメントシステムの一部であり，環境方針を策定し，実施し，環境側面を管理するために用いられる。

(5)　環境側面は，環境と相互に作用する可能性のある製品が，唯一の要素と定義されている。

## 解　説

　本問が出題された2014（平成26）年当時は、JIS Q 14001は2004年版規格の時代です。JIS Q 14001：2004では、環境側面とは「環境と相互に作用する可能性のある、組織の活動、製品又はサービスの要素」と定義されています。したがって、(5)は誤りです。

　なお、2015（平成27）年にJIS Q 14001は2015年版規格に改訂されていますが、環境側面の定義は「環境と相互に作用する、又は相互に作用する可能性のある、組織の活動又は製品又はサービスの要素」とされ、本質的な変更はありません。

正解 >> （5）

## 6-3 環境調和型製品

> 製品やサービスのライフサイクルにおける環境負荷低減の取組みについて
> 解説します。ライフサイクルアセスメント、環境ラベルなどの環境配慮の仕
> 組みを理解しておきましょう。

### ◼ 背景

　すべての製品やサービスには、そのライフサイクル、すなわ
ち、資源採取、原材料調達、製造、配送、使用、再利用、リサ
イクル、廃棄を通じて何等かの環境影響があります。実際、地
球温暖化やオゾン層破壊などの地球環境への影響、製造時の天
然資源の利用、排出などによる地球の大気・水質・土壌の環境
汚染、製品に含まれる有害物質などによる人体や生態系への影
響、騒音・振動など、環境影響は極めて多岐にわたっていま
す。持続的発展の実現に象徴される環境意識の高まりにつれて、
我々の生活を支える製品を**ライフサイクル全般で考える**ことが
重要となっています。本来必要な製品機能や安全性を保証した
上で、環境負荷を大幅に低減した**環境調和型製品**に転換してい
く必要性や、それを受け入れる環境志向の市場、すなわち循環
型社会の構築への要求も高まってきました。このため、様々な
技術開発や技術開発を支援するツール（道具）と環境調和型製品
を社会に浸透させる仕組み（法制度、規格）などが国内外で順次
整備されてきています。

### ◼ LCA と環境配慮設計

#### ◉ LCA

　**ライフサイクルアセスメント**（**LCA**：Life Cycle Assessment）
とは、ISO 14040：2006によれば「製品に付随する環境側面と
潜在的影響を評価する技法のひとつ」とあります。すなわち、

図1 ライフサイクルアセスメントの考え方

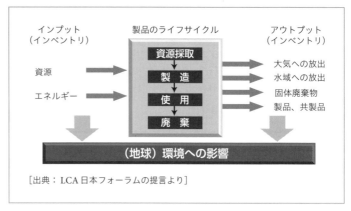

[出典：LCA日本フォーラムの提言より]

図2 LCAの実施手順

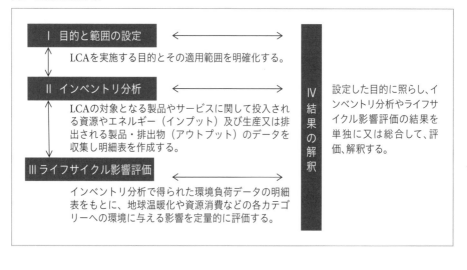

図1に示すように「**製品のライフサイクルにおける、投入資源
（インプット）、環境負荷（アウトプット）及びそれらによる地球
や生態系への環境影響を定量的に評価する方法**」です。言い換
えると、製品を「ゆりかごから墓場まで」定量的に評価し、よ
り環境負荷の少ない方向で生産をシフトする方法といえます。
　LCAの実施手順は、図2に示す4つのステップがISO 14044：

2006で標準化されています。LCAの概念は1969年に米国のコカコーラ社が飲料容器について実施した資源と環境影響の調査が発端といわれており、日本では1995（平成7）年に産官学共同のLCA日本フォーラムが設立され、LCA手法の普及と標準データベースの確立が進んでいます。

　LCAの結果は環境調和型製品の開発や省エネルギーへの応用、生産プロセスの改善などに利用されています。環境調和型製品をどのように開発するかについては、環境マネジメントと設計・開発プロセスの統合をはじめとして基本的な考え方が整備されつつあります。

### ●環境配慮設計（環境適合設計）

　この中でも特に重要なのが**環境配慮設計（ECD：Environmental Eco Conscious Design）**あるいは**環境適合設計（DfE：Design for Environment）**と呼ばれる考え方で、「**製品の設計開発において製品の本来機能と環境側面を適切に統合する設計手法**」です。すなわち、「製品の高機能化によるメリットとそのライフサイクルにおける環境影響などのデメリットとのバランスを考慮して最適設計をするための手法」です。この取組みの効果的な実現のためには、製品のライフサイクル全般に対する考慮やマネジメントが、設計技術者のみならず管理者や製品の市場投入を支えるサプライチェーンにかかわる者すべてを巻き込んで実施される必要があります。

　環境配慮設計は、資源・エネルギーの節約や汚染・廃棄物による環境影響を防止するために、材料使用量の削減やエネルギー効率の改善、有害物質の利用回避、特に環境汚染の少ない製造・利用への指向、耐久性設計、機能性設計、再利用・リサイクルを考慮した設計などの取組みを、企画→コンセプト設計→詳細設計→試験→製品の市場投入→レビューといった一連の開発プロセスのあらゆる段階で行います。

### 3 環境ラベル

商品（製品やサービス）の環境に関する情報を、製品やパッケージ、広告などを通じて消費者に伝えるものを**環境ラベル**といい、**法律で義務付けられたものではなく**企業が任意に付けているものです。現在、環境ラベルは国際規格で次の3つのタイプの環境ラベルが規格化されています。

#### ◉タイプ I 環境ラベル（ISO14024、JIS Q 14024）

タイプ I 環境ラベルは、JIS Q 14024では「特定の製品カテゴリーの中で、製品のライフサイクルを考慮し、包括的な環境優位性を示すラベルの製品表示ライセンスを自主的な複数の基準に基づき授与する**第三者認証制度**」と定義されています。日本では、1989（平成元）年から（公財）日本環境協会が事務局となって「**エコマーク制度**」の運用が始まっています。2020（令和2）年11月5日末時点で4,285の商品にエコマークが付与されています。図3に世界で運用されているタイプ I 環境ラベルの

図3　世界のタイプ I 環境ラベルの例

| オーストラリア | カナダ "環境チョイスプログラム" | クロアチア共和国 | チェコ共和国 | EU ほか | ドイツ "ブルー・エンジェル" |
|---|---|---|---|---|---|
| 香港 | インド | 大韓民国 | ニュージーランド | 北欧 "ノルディック・スワン" | 台湾 |
| スペイン | スウェーデン | スウェーデン | タイ | 米国 "グリーン・シール" | 日本 "エコマーク" |

［出典：環境省ホームページ］

例を示します。

●タイプⅡ環境ラベル（ISO14021、JIS Q 14021）

　タイプⅡ環境ラベルは、JIS Q 14021では「製造業者、輸入業者、流通業者、小売業者、その他環境主張によって利益を得ることができるすべての人が行う、**独立した第三者の認証を必要としない環境主張**」と定義されています。環境主張に用いる12の用語（コンポスト化可能、分解可能、解体容易設計、長寿命化製品、回収エネルギー、リサイクル可能、リサイクル材料含有率等、省エネルギー、省資源、節水、再使用／詰替え可能、廃棄物削減）について定義と主張を行う際の一定の要件が規定されています。広告、ウェブページなどへの表示を含め、この制度が最も企業によって活用されています。図4にタイプⅡ環境ラベルの事例を示します。

図4　タイプⅡ環境ラベルの例

| 3R 対応 | 再生資源使用 | | | |
|---|---|---|---|---|
| PC グリーンラベル | 再生紙使用マーク | 牛乳パック再利用マーク | PET ボトルリサイクル推奨マーク | 日被連エコ・ユニフォームマーク |
| エコシンボル | 「ちゃんとエコ」ラベル | ライスインキマーク | ニッケエコロジア企画 | エコアミューズメント |

［出典：環境省ホームページ］

●タイプⅢ環境ラベル（ISO14025、JIS Q 14025）

　タイプⅢ環境ラベルは、産業界又は独立団体がISO14025に従って、事前に設定されたパラメーター領域について製品の**環境データを表示する情報開示方式**です。タイプⅠ環境ラベルと

違う点は、製品の環境側面の優劣の判定を行うものでなく、**製品の定量的環境情報を開示すること**を目的とし、判断は購買者に委ねられている点です。日本では、LCAに基づく定量的な環境情報をつけた「**エコリーフ環境ラベル制度**」が、2002(平成14)年4月より(一社)産業環境管理協会によって運用されていましたが、2019(令和元)年10月1日から(一社)サステナブル経営推進機構に業務移管されています。図5にエコリーフのロゴマークを示します。

図5　タイプⅢ環境ラベルの例(エコリーフ)

(ホームページ (https://ecoleaf-label.jp/) で環境情報が開示されている。)

☑ ポイント

①LCA、ECD、DfEなどの手法の概要、LCAの4つの実施手順を覚えておく。
②環境ラベルのタイプⅠ、タイプⅡ、タイプⅢの違いは比較的よく出題されるので、それぞれの違いを理解しておく。

# 練習問題

問15　環境配慮(調和)型製品に関する記述として，誤っているものはどれか。

(1)　環境配慮設計は，製品の設計開発において製品の本来機能と環境側面を適切に統合する設計手法である。

(2)　環境配慮設計の取組みを効果的にするためには，製品のライフサイクル全般に対する考慮やマネジメントが実施される必要がある。

(3)　製品の設計，製造に当たっては，3R(リデュース・リユース・リサイクル)への配慮が重要である。

(4)　タイプⅠ環境ラベルは，産業界又は独立団体が ISO 14025 に従って，事前に設定されたパラメーター領域について製品の環境データを表示するものである。

(5)　タイプⅡ環境ラベルは，ISO 14021 による独立した第三者による認証を必要としない自己宣言による環境主張であり，企業によって最も活用されている。

## 解説

　タイプⅠ環境ラベルとは、ISO 14024で「特定の製品カテゴリーの中で、製品のライフサイクルを考慮し、包括的な環境優位性を示すラベルの製品表示ライセンスを自主的な複数の基準に基づき授与する第三者認証制度」と定義されている。世界各国でそれぞれ認証されているが、日本では(公財)日本環境協会が事務局となって認証するエコマークが該当する。したがって、(4)の「ISO 14025」にしたがっては誤りである。ISO 14025はタイプⅢ環境ラベルのことである。ちなみに、タイプⅡ環境ラベルは、ISO 14021で定義されている。

正解 >> (4)

# 練習問題

問15　ライフサイクルアセスメント（LCA）とその実施手順に関する記述として，誤っているものはどれか。

(1)　LCA とは，製品システムのライフサイクル全体を通したインプット，アウトプット及び潜在的な環境影響のまとめ並びに評価のことである。

(2)　LCA を実施する目的と範囲の設定が，LCA の第一ステップである。

(3)　第二ステップのインベントリ分析で用いられるインプットデータは，生産又は排出される製品・排出物に関するものである。

(4)　第三ステップでは，地球温暖化や資源消費などの各カテゴリーへの影響を定量的に評価する。

(5)　第四ステップでは，設定した目的に照らし，インベントリ分析やライフサイクル影響評価の結果を単独又は総合して評価，解釈する。

## 解 説

　第二ステップのインベントリー分析では、製品システムに関連するインプットデータとアウトプットデータのインベントリー（明細表）を作成する。インプットデータは製品をつくるための原材料、電力、燃料などの資源やエネルギーのことである。製品や排出物がアウトプットデータである。したがって、(3)の「インプットデータは、生産又は排出される製品・排出物に関するものである」は誤りである。

正解 >> （3）

# 練習問題

問15　ライフサイクルアセスメント（LCA）に関する記述として，誤っているものはどれか。

(1)　LCA は，製品に付随する環境側面と潜在的影響を評価する技法の一つである。

(2)　LCA で考慮すべき影響として，地球や生態系への環境影響は含まれていない。

(3)　LCA の実施手順として，四つのステップが ISO 規格で標準化されている。

(4)　インベントリ分析では，対象となる製品に関わるインプット及びアウトプットのデータを収集し明細表を作成する。

(5)　LCA の結果は，環境調和型製品の開発や省エネルギーへの応用，生産プロセスの改善などに利用されている。

## 解説

ライフサイクルアセスメントとは、前出図1に示すように「製品のライフサイクルにおける、投入資源（インプット）、環境負荷（アウトプット）及びそれらによる地球や生態系への環境影響を定量的に評価する方法」です。よって、(2)の「地球や生態系への環境影響は含まれていない。」は誤りです。

正解 >> （2）

# 練習問題

問15 我が国における環境ラベルに関する記述として，誤っているものはどれか。

(1) 環境ラベルは，商品(製品やサービス)の環境に関する情報を，製品やパッケージ，広告などを通じて消費者に伝えるものである。

(2) 製品に環境ラベルを表示することが，法律で義務付けられている。

(3) タイプⅠ環境ラベルは，特定の製品カテゴリーの中で，第三者が製品のライフサイクルを考慮し，包括的な環境優位性を認証した商品につけられる。

(4) タイプⅡ環境ラベルは，第三者による認証を必要としない自己宣言による環境主張である。

(5) タイプⅢ環境ラベルは，製品の定量的環境情報を開示することを目的としている。

**解 説**

　環境ラベルは、法律で義務付けられたものではなく企業が任意に付けているものです。現在、環境ラベルは国際規格でタイプⅠ、タイプⅡ、タイプⅢの3つの環境ラベルが規格化されています。

正解 >> (2)

## 6-4 リスク評価とマネジメント

リスクやリスクマネジメントの手順について解説します。リスクの定義や
リスクマネジメントにおける用語の意味を理解しておきましょう。

### 1 リスクと環境

#### ◉リスクとリスクマネジメント

　近年、組織のマネジメント活動の中で**リスクマネジメント**と
いう分野に関心が高まっています。JIS Q 0073：2010によれば、
**リスク**とは「目的に対する不確かさの影響」と定義され、**影響
が好ましいか好ましくないかにかかわらず、目的の達成に影響
を与えるものすべて**をリスクとしてとらえています。また、**リ
スクマネジメント**とは「リスクについて組織を指揮統制するた
めの調整された活動」と定義され、**リスクコミュニケーション、
リスクアセスメント、リスク対応を含む概念**とされています。

#### ◉リスクの概念

　化学物質の人の健康影響についてのリスクを例にして説明す
ると次のようになります。ある物質のあるレベルでの曝露は、
人体に何らかの異常を発症させるか、させないかが問題であり、
発症した場合もその重篤度は様々と考えられます。リスクとい
う用語は、この**発症確率**と**発症した場合の重篤度**を組み合わせ
た概念であり、その評価は**不確実性**（ある条件下で発症するか
しないか、発症した場合の重篤度の違いなど）を前提としたも
のになっています。

　しかし、リスクという概念は「リスクをとる」という用法からも
わかるように、一般的には、利益を得るための活動が逆に損失
を生じさせてしまう危険性に対して用いられることが多くなってい

ます。したがって、組織の製品やサービスにかかわる通常の活動が環境に悪影響を与える可能性があれば、それへの対応は環境マネジメントともいえるし、リスクマネジメントともいえます。す**なわち、リスクマネジメントの管理対象は広い**ので、リスクマネジメントを構成する一部が、あるいは**環境を管理対象とするリスクマネジメントが環境マネジメントである**※ということができます。

### 2 リスクマネジメントの基本概念

リスクマネジメントは、**リスク特定・リスク分析・リスク評価**からなるリスクアセスメントと**リスク回避・リスク最適化・リスク移転・リスク保有**を含む**リスク対応**、モニタリング及びレビュー、並びにリスクコミュニケーション及び協議から成り立っています。図1に、リスクマネジメントの基礎概念と進め方を示します。

また、以下に、JIS Q 31000：2010に従ってこれらの基礎概念を説明します。

#### ◉リスクアセスメントとその概要

リスクアセスメントは、おおむね次のような手順で進められます。

※：リスクマネジメントと環境マネジメント
環境マネジメントはリスクマネジメントの一分野である、すなわち、リスクマネジメントの方が広い概念である。

図1 リスクマネジメントの基礎概念と進め方

| リスクアセスメント | リスク対応、モニタリング、レビュー | リスクコミュニケーション |
|---|---|---|
| ・リスク特定<br>　リスク源の識別<br>・リスク分析<br>　リスクの原因及びリスク源<br>　リスクの結果と発生確率<br>　リスク算定<br>・リスク評価<br>　リスク基準との比較 | ・リスク回避<br>・リスク低減<br>・リスク共有（移転）<br>・リスク保有<br>　リスクの受容<br>・モニタリング<br>　継続的な点検、監督、<br>　観察、決定 | ・情報の提供、共有、取得<br>・ステークホルダとの対話 |

　最初に**リスク特定**を行います。これはリスクとして認識される現象や結果、あるいはリスクの原因となる物事や行動としての**リスク源**（「**ハザード**」とも呼ばれる）を識別し、網羅し、特徴づけるプロセスです。

　次に**リスク分析**を行います。これはリスクの特質を理解し、リスクレベルを決定するプロセスです。リスク分析には**リスク算定**が含まれます。

　リスク分析には、リスクの原因及びリスク源、リスクの好ましい結果及び好ましくない結果、並びにこれらの結果が発生する確率（起こりやすさ）に関する考慮が含まれます。

　リスク分析において算定されたリスクは受容可能か又は許容可能かを決定するために、法規制の要求事項、ステークホルダの要求事項などから導かれるリスク基準と比較し**リスク評価**結果としてまとめます。社会的に考えてどの程度のリスクを受容するかについては、そのリスクの背後にある利益にも依存します。また、単純に安全性という観点だけで考えても、リスクの受容できない水準についてはHarrisらも示すように種々の説があります。
一例として、次のような例があります。
　①通常受け入れているリスクより大きいリスク
　②自然状態を超えるリスク
　③人体影響の可能性のあるリスク
　④人体影響がすでに検証されているリスク
　これ以外にも、コスト／ベネフィット（利益）分析上の効用関数※が最適となるようにリスクをコントロールするのが正しいとする考え方もあります。一般的には、人体影響の差し迫った脅威が経済的に合理的な費用で危険性のないものになるように、リスクをコントロールすることが望ましいと考えられています。

※：効用関数
物、エネルギー、情報、サービスなどの効用を数値に置き換える関数。

153

◉リスク対応とモニタリング及びレビュー

　リスク評価の結果をもとに、リスクの発生確率の低減や結果の重篤性を改善するリスクを選択し対策を進めるプロセスがリスク対応です。リスク対応には次のようなものがあります。

- **リスク回避**：リスク評価結果などに基づいて、リスクの生じる状況に巻き込まれないようにする、あるいはそのような状況から撤退する対応
- **リスク低減**：リスクの発生の可能性を下げる、もしくはリスクが顕在化した際の影響の大きさを小さくする、あるいはそれらの両方の対策をとること
- **リスク共有**：リスクに起因する損失負担や利益を他者と共有すること
- **リスク移転**：保険等でリスクを他者に引き受けてもらうこと
- **リスク保有**：リスクに起因する損失負担や利益を受容する対応（対策としては共有と同じ）

　リスクマネジメントにおいては、リスクに応じた適切な対応（回避、低減、共有（移転）、保有）をとることが必要です。

　**モニタリング**は、要求又は期待されたパフォーマンスレベルと現実のパフォーマンスレベルとの差異を特定（評価）するために、リスク対象を継続的に点検し、監督し、要点を押さえて観察し、又は決定することです。**レビュー**は、目標を達成するために対象となる事柄の適切性、妥当性及び有効性を決定するための見直し活動です。モニタリング及びレビューの両方は、リスクマネジメントプロセスの中の一部として計画され、定常的な点検又は調査を実施することが望まれます。

◉コミュニケーション及び協議

※：ステークホルダ
企業・行政・NPO等の利害と行動に直接・間接的な利害関係を有する者を指す。利害関係者のこと。

　リスクの運用管理において、情報の提供、共有又は取得、あるいはステークホルダ※との対話を行うために組織が継続的に及び繰り返し行うプロセスを**コミュニケーション**及び**協議**とい

います。ステークホルダは、リスクに対して自らの知識、知り得た範囲の情報に基づいてリスクのレベルを判断するので、誤った情報や誤解に基づく判断を避ける意味でも、ステークホルダとのコミュニケーション及び協議は重要で、日頃から継続的に行い信頼関係を醸成しておくことが望まれます。

> **☑ ポイント**
> ①リスクの定義やリスクマネジメントに関する用語の意味を覚えておく。
> ②ハザード（リスク源）の意味、リスク対応に関する用語の出題が多い。

# 練習問題

問15 リスクマネジメントに関する記述として、誤っているものはどれか。

(1) リスクの結果として起きる事象は、「ハザード」と呼ばれる。

(2) リスクアセスメントの結果に基づいて、リスクの発生確率や結果の重篤性を改善する選択やプロセスが、「リスク対応」である。

(3) リスクアセスメントの結果に基づいて、リスクの生じ得る状況に巻き込まれないようにする、あるいはそのような状況から撤退する対応が、「リスク回避」である。

(4) リスクに起因する損失負担ないしは利益を他者と共有する対応が、「リスク共有」である。

(5) リスクに起因する損失ないしは利益を受容する対応が、「リスク保有」である。

## 解説

　リスクとして認識される現象や結果、あるいはリスクの原因となる物事や行動としてのリスク源をハザードと呼びます。リスクの結果として起きる事象のことではありません。

正解 >> (1)

# 練習問題

問15　リスクマネジメントの基礎概念の一つであるリスク対応におけるプロセスとして，誤っているものはどれか。

(1)　リスク分析

(2)　リスク低減

(3)　リスク回避

(4)　リスク共有

(5)　リスク保有

#### ┃解　説┃

　リスク分析とは、リスクの原因とそれがもたらす結果、リスクが発現する確率を分析するもので、リスクアセスメントに属するプロセスであり、リスク対応のプロセスではない。

　なお、リスク対応のプロセスは、「リスク回避」「リスク低減」「リスク共有又は移転」「リスク保有」の4つである。「リスクの共有」「リスクの移転」はどちらか一方が採用されるので、リスク対応として「リスク回避」「リスク低減」「リスク共有」「リスク移転」の4つとすると誤りとなる。

　したがって、(1)が誤りです。

正解 >> （1）

# 第7章

# 国際協力

## 7-1 国際間の技術協力と資金協力

　地球環境保全の取組みにおける先進国から発展途上国への技術協力、資金協力について解説します。ほとんど出題されたことはないので、ポイントのみ短く記載しました。一度読んでおくだけで十分です。

### ■1 概要

　開発途上国への環境協力は、我が国の環境技術や資金を投じて**環境保全事業を実施する方法**と**人材育成、環境保全制度の構築や研究協力**に大別することができます。前者には環境管理センターや研修センターなどの施設建設、下水処理場の建設、鉄鋼工場などへの脱硫装置の設置、植林事業などの例があります。後者には環境保護行政官や公害防止技術者の養成、環境モニタリング体制や公害防止管理者制度の構築などの例があります。

### ■2 技術協力

　技術協力は、各省庁の支援の下に独立行政法人国際協力機構（JICA）が中心になって実施しており、専門家派遣、研修員の受け入れ、機材供与、又はこれらの組み合わせた技術協力プロジェクト、開発調査などが実施されています。

### ■3 資金協力

　資金協力には、開発途上国に返済義務を課さずに供与するもの（無償資金協力）と、資金を長期低利で貸し付けるもの（有償資金協力、通常「円借款」）とがあります。無償資金協力は、特に経済発展の遅れている地域に対し、都市の上下水道の整備、地方の井戸の掘削など緊急度の高い案件に対して行われます。環境関連分野では、国際協力銀行（JBIC）を通じ積極的に有償資金を供与してきています。主なものとしては地熱発電所や風

力発電所の建設、大規模な上下水道の整備や植林事業などがあります。

### ◢ 国際機関を通じた協力

　国連の機関や世界銀行などの国際金融機関を通じた協力は、二国間協力のみでは十分に対応できない地球環境保全、共通の取組みのための指針づくり、情報量の少ない国や分野などへの取組みを進める観点から重要です。日本は、国連環境計画（UNEP）の国連環境基金や国際環境技術センター技術協力信託基金などへの拠出のほか、日本が主要な出資国となっている国連開発計画（UNDP）、世界銀行、アジア開発銀行などの多国間援助機関も貧困対策の強化とともに環境分野の取組みを強化しています。

### ◢ 地域協力メカニズム

　国境を越える環境問題の解決を図るためには、アジア、太平洋地域の関係諸国と共同して取り組むことが重要です。このような取組みとして、アジア酸性雨モニタリングネットワーク、アジア太平洋地域渡り鳥性水鳥保全戦略、北西太平洋地域海行動計画、アジア太平洋地球変動研究ネットワーク、アジア太平洋環境イノベーション戦略プロジェクト、アジア森林パートナーシップ等があります。

### ◢ 地方公共団体の活動

　地方公共団体においては、環境行政、水質モニタリング、産業廃水処理技術など様々な分野で、開発途上国の行政担当官や技術者を行政機関や試験研究機関などで受け入れて、環境行政研修や技術研修を実施しています。また、JICAを通じて多数の地方公共団体の環境専門家を開発途上国に派遣し、環境分析に関する技術指導などを実施しています。

公害防止管理者等国家試験　公害総論【改訂第3版】

# 重要ポイント＆精選問題集

©2024　一般社団法人 産業環境管理協会

---

2024年8月20日　発行

発行所　　　**一般社団法人 産業環境管理協会**
　　　　　　東京都千代田区内幸町1-3-1
　　　　　　（幸ビルディング）
　　　　　　TEL　03（3528）8152
　　　　　　FAX　03（3528）8164
　　　　　　https://www.e-jemai.jp

発売所　　　**丸善出版株式会社**
　　　　　　東京都千代田区神田神保町2-17
　　　　　　TEL　03（3512）3256
　　　　　　FAX　03（3512）3270

印刷所　　　**三美印刷株式会社**

装丁／本文デザイン　　　**株式会社hooop**

---

ISBN978-4-86240-223-3　　　　　　　　Printed in Japan